Chères lectrices,

Après un été lumineux, l'automne pointe le bout de son nez. Avec un brin de nostalgie, nous sentons que les journées se font plus courtes, la lumière du soleil plus douce. Le soir, dans le jardin, nous devons à présent couvrir nos épaules d'une légère étole de soie…

Heureusement, nous avons fait le plein d'énergie et de chaleur pour affronter la reprise du travail, de l'école. Et en attendant, pourquoi ne pas profiter encore un peu de ces derniers moments de détente et de calme ? Par exemple avec nos romans, véritables havres de paix et de plaisir dans un univers souvent fatigant et stressant. Qu'ils sont doux ces instants qui n'appartiennent qu'à nous, et pendant lesquels nous laissons notre imagination aborder les rivages délicieux de l'amour et de la passion…

Ce mois-ci, je tenais tout particulièrement à vous signaler le dernier volet de votre trilogie « Tenue de soirée exigée » : *Un célibataire prêt à tout* (Azur n° 2621) de Penny Jordan. Dans ce roman, Lucy, notre héroïne, va devoir choisir son destin : épouser l'homme qu'elle aime, mais qui ne lui propose qu'un mariage de convenance, ou refuser et le perdre à tout jamais…

Très bonne lecture,

La responsable de collection

D0767596

Un célibataire prêt à tout

PENNY JORDAN

Un célibataire prêt à tout

COLLECTION AZUR

Éditions **Harlequin**

*Cet ouvrage a été publié en langue anglaise
sous le titre :*
BLACKMAILING THE SOCIETY BRIDE

Traduction française de
ELISABETH MARZIN

HARLEQUIN®

est une marque déposée du Groupe Harlequin
et Azur ® est une marque déposée d'Harlequin S.A.

*Toute représentation ou reproduction, par quelque procédé que ce soit, constituerait
une contrefaçon sanctionnée par les articles 425 et suivants du Code pénal.*
© 2005, Penny Jordan. © 2006, Traduction française : Harlequin S.A.
83-85, boulevard Vincent-Auriol, 75013 PARIS — Tél. : 01 42 16 63 63
Service Lectrices — Tél. : 01 45 82 47 47
ISBN 2-280-20525-4 — ISSN 0993-4448

Prologue

« *Lucy Blayne surprise dans les bras d'un milliardaire !* »

Depuis la divulgation de ses déboires conjugaux, l'organisatrice des soirées préférées de la jet-set est devenue une habituée de la rubrique mondaine. Rappelons que son ex-mari ne s'est pas contenté de donner des coups de canif dans leur contrat de mariage. Profitant de la confiance qu'elle lui avait accordée en l'associant à ses affaires, Nick Blayne a détourné des millions de livres, dilapidant l'héritage de la jeune femme et spoliant une grande partie de la clientèle de sa société Clé en main.

Bien sûr, Lucy a divorcé de cet escroc dès qu'elle a découvert la vérité à son sujet. Cependant, la réputation de sa société reste ternie par ce scandale et celle-ci se trouve actuellement en difficulté.

Pleine de courage et de dignité, Lucy a décidé de se battre pour que Clé en main retrouve sa prospérité. Or il se pourrait bien qu'elle atteigne rapidement son objectif. Elle bénéficie en effet de l'appui d'un prestigieux conseiller, aussi intègre que séduisant : Marcus Canning, le banquier de la jet-set !

Célibataire endurci connu pour sa soif d'indépendance, Marcus prend ses jambes à son cou à la moindre mention du mot « mariage ». Toutefois, selon des sources sûres, Lucy et lui ont été récemment surpris à plusieurs reprises dans des situations qui ne laissent aucun

doute sur la nature et l'ardeur de leur relation… Le milliardaire
solitaire aurait-il succombé à l'ivresse de la passion ?

Quoi qu'il en soit, leur prochain mariage a été annoncé dans le
carnet mondain de tous les quotidiens nationaux. Dans quelques
semaines, Marcus Canning épousera Lucy.

On peut prédire sans risque de se tromper que ce sera le mariage
de l'année…

1.

— Si je comprends bien, les sommes détournées par mon ex-mari sont si énormes que ma société n'est plus viable ?

Atterrée, Lucy ne parvenait pas à y croire. C'était impossible ! Elle était en train de faire un cauchemar, et elle allait se réveiller d'un instant à l'autre. La situation ne pouvait pas être aussi grave !

Malheureusement, elle ne rêvait pas. Elle se trouvait bel et bien dans le bureau de M^e McVicar, son avocat. Et ce dernier avait été très clair : en quelques mois, son ex-mari avait réussi à mener au bord de la faillite la société qu'elle avait créée quand elle était encore célibataire. Et qui jusque-là était florissante...

Décidément, ce mariage — bien que très bref — était la pire erreur qu'elle avait jamais commise. Non seulement Nick n'avait cessé de la tromper avec une multitude de femmes, mais il l'avait escroquée...

Cependant, n'avait-elle pas triché elle aussi ? Il fallait bien reconnaître qu'elle n'avait pas été d'une honnêteté absolue avec lui... Lucy poussa un soupir. Qu'importait, à présent ? Ni les remords ni les regrets ne l'aideraient à résoudre ses problèmes.

— Mon carnet de commandes est loin d'être vide. J'ai

plusieurs soirées à organiser d'ici à la fin de l'année, déclara-t-elle en croisant discrètement les doigts derrière son dos.

Pourvu que Mᵉ McVicar ne lui demande pas de lui préciser combien ! pria-t-elle intérieurement avant d'ajouter :

— Cela pourrait peut-être inciter la banque à...

Mᵉ McVicar secoua la tête avec regret. Sa jeune cliente était très douée, comme en témoignait l'essor qu'avait pris sa société dès sa création. Mais elle était beaucoup trop naïve pour pouvoir survivre dans l'univers impitoyable des affaires.

— Je suis désolé, dit-il. Comme vous l'avez vous-même reconnu tout à l'heure, plusieurs de vos clients ont annulé leur commande et réclamé le remboursement de leur acompte. Je crains fort que le discrédit dans lequel est tombé *Clé en main* soit encore plus préjudiciable à son avenir que ses pertes financières.

— Même si le responsable de cette situation ne fait plus partie de ma société ? Ni même de ma vie ?

La mine compatissante de Mᵉ McVicar fut plus éloquente qu'une réponse.

Lucy eut une moue désabusée.

— Je suppose que je ne peux pas en vouloir à mes clients de faire machine arrière, soupira-t-elle. Après tout, ils n'ont aucune raison de faire confiance à une femme assez stupide pour avoir épousé Nick Blayne, n'est-ce pas ?

C'était en tout cas ce que pensait Marcus, songea-t-elle avec amertume. Aussi étrange que cela puisse paraître, ce n'était pas Nick qu'elle aurait voulu pouvoir effacer à tout jamais de sa mémoire et de sa vie, mais Marcus... Lucy déglutit péniblement. Mieux valait se concentrer sur des problèmes plus concrets.

— N'y a-t-il vraiment rien à faire pour éviter la faillite ? demanda-t-elle, le cœur serré.

— Il faudrait trouver un nouvel associé. Quelqu'un qui

jouisse d'une excellente réputation et qui soit en mesure de régler toutes les dettes de *Clé en main*.

— Mais j'ai bien l'intention de les rembourser moi-même ! s'exclama-t-elle. Ce qu'il reste de mon héritage devrait suffire.

— Oui, en effet. Cependant, bien que très louable, rembourser vous-même les dettes de votre société ne suffira pas à vous faire regagner la confiance du public. Le scandale provoqué par les agissements de votre ex-mari, ajouté au départ de vos deux associées…

— Si elles sont parties, c'est uniquement parce qu'elles se sont mariées ! protesta Lucy. Leurs nouvelles responsabilités les accaparent. Carly, qui est enceinte, seconde Ricardo pour la gestion de ses orphelinats. Quant à Julia, elle vient d'avoir un bébé, et elle s'est engagée dans la Fondation…

— Bien sûr, coupa l'avocat d'un ton apaisant. Je suis au courant. Mais ce n'est pas forcément le cas de tout le monde. Etant donné les circonstances, leur départ risque d'être mal interprété. Dites-vous bien que pour redresser la situation, il vous faut absolument un nouvel associé qui dispose de fonds importants et dont la probité soit notoire. Croyez-moi, c'est votre seule chance.

Me McVicar fit une pause avant de poursuivre.

— Avez-vous songé à faire une proposition à Marcus Canning ? Il me paraît…

— Non ! Il n'en est pas question ! Et je vous demande expressément de ne faire appel à lui en aucun cas ! s'écria Lucy en faisant un tel bond sur sa chaise qu'elle faillit la renverser.

Submergée par une vague de panique, elle avait soudain l'impression d'étouffer. Comme si Marcus lui-même venait de refermer les doigts autour de son cou… Elle s'efforça de recouvrer son sang-froid. C'était stupide. Marcus n'irait jamais jusqu'à l'étrangler.

En revanche, il était facile d'imaginer le regard méprisant avec lequel il la toiserait lors de leur prochaine rencontre. Il ne se priverait pas de lui rappeler qu'il l'avait mise en garde contre Nick dès le début, et il se ferait un plaisir de la chapitrer longuement, comme à son habitude.

Pourquoi faisait-il preuve d'une telle agressivité à son égard ? Dès leur première entrevue, dans son bureau de Londres, il s'était montré particulièrement désagréable. Sans détour, il lui avait déclaré froidement qu'il trouvait aberrant que son grand-oncle lui ait légué une somme aussi considérable.

— Dans ce cas, pourquoi avez-vous accepté d'assurer la gestion de mon héritage ? s'était-elle exclamée, outrée. Vous avez décidé de me mettre des bâtons dans les roues pour mieux marquer votre désapprobation ?

Marcus avait levé les yeux au ciel d'un air exaspéré.

— Ce genre de remarque ne fait que confirmer mes soupçons au sujet du manque de jugement de votre grand-oncle.

— Vous auriez sans doute préféré hériter à ma place ?

Pour toute réponse, il avait dardé sur elle un regard si dédaigneux qu'il lui avait donné envie de disparaître sous terre.

— C'est bien ce que je craignais. Vous êtes complètement infantile, avait commenté Marcus d'un ton posé.

Quelle idiote ! Elle aurait pu se douter qu'étant le P.-D.G. de la banque d'affaires fondée par ses ancêtres des siècles auparavant, Marcus n'était pas dans le besoin. Même si elle ignorait encore que sa fortune s'élevait à plusieurs milliards…

Me McVicar observait Lucy avec compassion. Apparemment, les relations ne s'étaient pas améliorées entre sa cliente et le banquier que son grand-oncle avait désigné pour gérer l'héritage de la jeune femme. Ce qui n'était pas très étonnant, étant donné que celui-ci avait déjà été sérieusement entamé par les malversations de Nick Blayne.

Néanmoins, de son point de vue, personne n'était mieux

placé que Marcus Canning pour aider Lucy à sauver sa société. Il possédait à la fois la réputation et les fonds nécessaires. Sans parler de son sens des affaires, proprement exceptionnel. Bien sûr, Lucy n'en était pas dénuée non plus, le succès initial de sa société l'avait prouvé. Par ailleurs, elle était moralement irréprochable. Mais sa naïveté l'avait perdue. Et qu'elle le veuille ou non, elle ne parviendrait pas à s'en sortir toute seule.

— Croyez-moi, vous n'avez pas le choix, insista l'avocat. La seule solution est de trouver un associé prêt à renflouer *Clé en main*.

— Je suis entièrement d'accord avec vous. D'ailleurs, j'en ai trouvé un.

A peine ces mots eurent-ils quitté ses lèvres que Lucy se maudit intérieurement. Que lui prenait-il ? Pourquoi avait-elle proféré un mensonge aussi éhonté ? Etait-ce l'allusion de Mᵉ McVicar à Marcus qui l'y avait poussée ? Décidément, elle était encore plus vulnérable qu'elle ne le pensait…

L'avocat ouvrit aussitôt de grands yeux.

— C'est une excellente nouvelle ! Pourquoi ne m'en avez-vous pas parlé plus tôt ? Voilà qui change tout.

Le ton enthousiaste de Mᵉ McVicar accrut le malaise de Lucy.

— Bien sûr, il reste à discuter des conditions de cette association, poursuivit-il. Il faut organiser dès que possible une réunion avec votre associé potentiel et ses conseillers juridiques. Et vous devez naturellement informer votre banque de vos projets. Je suis certain que cela les rendra beaucoup plus conciliants. Par la suite, je pense qu'il serait judicieux de faire publier un avis dans la presse pour annoncer officiellement cette nouvelle association. Vous pourriez en profiter pour rappeler que vous avez rompu tout lien — professionnel ou personnel — avec Nick Blayne. Cette démarche devrait contribuer à redorer rapidement le blason de *Clé en main*.

Lucy déglutit avec difficulté. Seigneur ! Dans quel pétrin venait-elle de se fourrer ? Comme si la situation n'était déjà pas assez délicate... Pourquoi s'était-elle montrée aussi stupide ? Comment avouer maintenant à M^e McVicar qu'elle avait menti ? Elle avait la sensation horrible de s'enfoncer dans des sables mouvants...

— C'est-à-dire que... Je ne peux pas encore vous révéler son identité. Pour l'instant, nous n'en sommes qu'au stade des rencontres informelles et tout cela doit rester confidentiel. Vous savez ce que c'est. D'ailleurs, je vous demanderai la plus grande discrètion et...

— Bien sûr, je comprends. Cependant, je me dois de vous rappeler à quel point le facteur temps est essentiel.

Lucy hocha la tête. Puis, rapidement, elle prit congé et s'esquiva.

Comment avait-elle pu mentir ainsi ? Ça allait à l'encontre de tous ses principes ! Devant l'immeuble de Mayfair abritant le bureau de son avocat, elle s'efforça de surmonter l'angoisse qui lui nouait l'estomac.

Que faire, à présent ? Il faudrait un véritable miracle pour la sortir de ce bourbier...

Machinalement, elle tourna dans Bond Street, sans un regard pour les vitrines des luxueuses boutiques. Se vêtir à la dernière mode n'avait jamais fait partie de ses préoccupations. Elle préférait les fripes chinées aux Puces ou récupérées dans des greniers. Sans doute était-ce son côté nostalgique. Secrètement, elle rêvait d'une vie moins trépidante et sans mondanités, loin des lumières et du bruit de la ville.

A vrai dire, son rêve le plus cher était de se marier et d'avoir une multitude d'enfants. Son mari et elle les élèveraient à la campagne, dans une maison ancienne qu'ils auraient choisie ensemble avec amour.

Ses deux meilleures amies n'imaginaient pas à quel point

elle les enviait. Et il n'était pas question qu'elles le sachent. Elle avait sa fierté, après tout ! C'était d'ailleurs cette fierté qui l'avait incitée à créer sa propre entreprise. Et c'était encore elle qui l'avait poussée à mentir aussi stupidement à son avocat, se rappela-t-elle avec dépit.

Des magazines exposés à la devanture d'un kiosque attirèrent son regard. Comme d'habitude, *La vie de la Jet-set* occupait une place de choix, constata-t-elle avec une pensée émue pour son propriétaire et rédacteur en chef.

Elle devait une reconnaissance éternelle à Dorland Chesterfield. Dès la création de *Clé en main*, ce dernier avait fait appel à elle pour l'organisation de ses soirées, auxquelles se pressaient toutes les personnalités de la mode et du spectacle. Elle n'aurait pas pu rêver meilleure publicité. En fait, c'était en grande partie grâce à Dorland que *Clé en main* avait connu une réussite aussi rapide.

Lucy poussa un soupir. La chute n'en était que plus doulou-reuse... Il fallait absolument trouver une solution. Elle ne pouvait pas se résigner à perdre sa société.

Certes, ses deux amies et associées, dont les maris étaient extrêmement riches, lui avaient spontanément proposé l'une et l'autre de lui prêter de l'argent. Cependant, elle n'avait pas pu se résoudre à accepter leur aide. Son maudit orgueil le lui avait interdit.

Et de toute façon, comme l'avait souligné M^e McVicar, rembourser les dettes de *Clé en main* ne suffirait pas à rétablir la confiance de la clientèle. Elle devait également prouver qu'elle n'était pas aussi idiote que son mariage avec Nick Blayne pouvait le laisser supposer...

Oui, bien sûr, épouser Nick avait été une erreur grossière. Marcus ne s'était pas privé de le lui faire remarquer à maintes reprises. Cependant, si elle s'était mariée aussi précipitamment,

15

c'était pour des raisons très précises. Des raisons que Marcus ne devait jamais découvrir…

Elle acheta un exemplaire de *La vie de la Jet-set*. En lui rendant la monnaie, le vendeur lui adressa un large sourire qui lui mit un peu de baume au cœur.

Une fois sur le trottoir d'en face, elle ouvrit le magazine et parcourut machinalement le sommaire. Inutile d'y chercher le nom de *Clé en main* : il y avait plus de trois mois qu'elle n'avait organisé aucune soirée qui mérite d'être mentionnée dans le magazine de Dorland…

Cependant, à sa grande surprise, le nom de sa société était cité à propos de « La soirée la plus réussie de toute l'histoire de *La vie de la Jet-set*. » Perplexe, Lucy tourna vivement les pages. Au centre du magazine, dans un cahier spécial, s'étalaient des clichés pris l'été précédent lors d'une fête somptueuse organisée dans un château par *Clé en main*.

Profondément émue, Lucy sentit sa gorge se nouer. Quelle attention touchante… C'était typique de Dorland. Nul doute que s'il publiait de nouveau ces photos, c'était pour lui manifester publiquement son soutien. Quelle soirée, en effet ! songea-t-elle avec nostalgie. Une de ses plus belles réussites…

Toutefois, même si elle refusait de l'admettre, elle savait déjà à l'époque que son mariage était un fiasco et que Nick la trompait. En revanche, ce dont elle ne se doutait pas encore c'était qu'il l'escroquait…

En revanche, Carly et Julia, qui n'avaient pas encore quitté *Clé en main*, soupçonnaient quelque chose. Toutefois, elles avaient préféré attendre d'avoir des certitudes pour la prévenir, voulant à tout prix éviter de la blesser inutilement.

Marcus, lui, n'avait pas jamais eu ce genre de scrupules… Et il était mieux informé. C'était lui qui lui avait révélé les agissements de Nick. Sans aucun ménagement, bien sûr.

Jamais elle ne lui pardonnerait l'humiliation qu'il lui

16

avait fait subir le jour où il l'avait convoquée d'urgence dans son bureau. Jamais elle n'oublierait le mépris cinglant avec lequel il lui avait énuméré toutes les opérations frauduleuses effectuées par Nick, alors responsable financier de *Clé en main*.

— Qu'est-ce qui t'a pris de te marier avec lui ? avait-il demandé.

Puis, sans lui laisser le temps de répondre, il avait ajouté :

— Non, ne dis rien. Je connais la réponse. Ne t'est-il pas venu à l'idée que tu pouvais continuer à coucher avec lui sans avoir à l'épouser ?

Au souvenir du regard dédaigneux qu'il avait dardé sur elle en posant cette question, Lucy sentit ses joues s'enflammer…

— Ne t'est-il pas venu à l'idée que je pouvais attendre beaucoup plus de cette relation ? avait-elle rétorqué.

En réalité, ce mariage n'avait été qu'un mensonge. Mais il n'était pas question de l'avouer. Ni à l'époque ni aujourd'hui. Surtout à Marcus !

En épousant Nick, elle savait qu'elle avait agi avec une légèreté impardonnable. Au fond d'elle-même, elle était parfaitement consciente de s'être mariée pour de mauvaises raisons. Mais même si elle avait voulu croire un temps à ce mirage, comment avait-elle pu prétendre éprouver pour Nick une attirance irrésistible ?

Une fois mariée, elle n'avait plus trouvé le courage de continuer à jouer la comédie, et ses relations avec lui s'étaient rapidement dégradées. Nick n'avait jamais manqué une occasion de lui reprocher sa tiédeur. Comment le blâmer ? Rongée par le remords et le dégoût d'elle-même, elle avait subi ses récriminations sans broncher.

Mais — heureusement ! — Marcus était loin de se douter de tout cela.

— Franchement, Lucy, qu'attendais-tu d'un homme comme lui ? Croyais-tu vraiment qu'il pourrait t'offrir autre chose que des nuits torrides ? avait demandé ce dernier d'un ton sarcastique.

— Je ne te permets pas de me critiquer ! avait-elle hurlé, hors d'elle. D'autant plus que tu es mal placé pour me donner des leçons dans ce domaine. Tu n'es pas particulièrement doué pour les relations durables, que je sache !

— C'est un choix. Mais quand je déciderai de m'engager, ce sera pour la vie. Je ne me marierai pas sur un coup de tête parce que je serai devenu esclave de mes sens.

Elle avait tenté de se défendre, bien sûr.

— Je n'étais pas…

Mais comme à son habitude, Marcus ne l'avait pas laissée parler.

— Oh, à d'autres, Lucy ! avait-il coupé sèchement. Je me rappelle de certaines photos dans les magazines, qui étaient très éloquentes.

Lucy avait serré les dents. Ces maudits clichés ! Si elle avait su… Elle aurait dû tout faire pour empêcher la publication de ces photos qui la montraient en train de flirter avec Nick, simplement vêtue d'un minuscule Bikini… Mais les photographes avaient joué un grand rôle dans la promotion de *Clé en main*, et elle avait toujours veillé à entretenir de bonnes relations avec eux. Ce jour-là, elle aurait mieux fait d'oublier ce principe stupide…

Lucy soupira. Qu'importait à présent ? se dit-elle en refermant *La vie de la Jet-set*. Il était inutile de s'attarder sur ce genre de souvenirs qui ne présentaient aucun intérêt.

Elle consulta sa montre et constata qu'elle était restée plus longtemps que prévu chez son avocat. Elle avait tout juste le temps de rentrer se changer avant de se rendre au cocktail de sa grand-tante Alice, qui fêtait son quatre-vingt-dixième anniversaire.

Celle-ci habitait à Knightsbridge, dans un somptueux appartement. Malheureusement, il y faisait toujours un froid glacial, parce qu'en dépit de son immense fortune, sa grand-tante considérait le chauffage comme un luxe extravagant. Par conséquent, aucun membre de la famille ne lui rendait visite en plein hiver. Même l'été, il valait mieux s'équiper de cardigans et de châles pour se protéger contre les courants d'air, auxquels la vieille dame devait selon elle sa longévité.

— Elle raconte vraiment n'importe quoi ! avait un jour marmonné Johnny, le plus jeune cousin de Lucy. Si tante Alice est toujours en vie, c'est parce qu'elle est beaucoup trop avare pour abandonner sa fortune ! Dieu sait pourtant que j'aurais bien besoin de ma part d'héritage…

— Qu'est-ce qui te fait croire que tu en auras une part ? avait demandé Piers, le frère de Lucy, avec un sourire malicieux.

— Il ne manquerait plus qu'elle m'oublie !

— Ce serait un véritable scandale, en effet, avait ironisé Piers. Avec tous les efforts que tu fais pour te comporter en digne héritier de la tradition familiale…

A dix-neuf ans, Johnny menait une vie marginale par rapport au reste de la famille. Etudiant vaguement le Droit en dilettante, il était toujours à la recherche d'argent pour investir dans de mystérieux projets qui n'aboutissaient jamais.

Sans doute Marcus désapprouvait-il la conduite de Johnny presque autant que la sienne, songea Lucy avec un pincement au cœur.

Marcus…

Dire qu'elle s'était jetée dans les bras de Nick pour tenter d'échapper à l'amour sans espoir qu'elle éprouvait pour lui…

Elle avait échoué sur toute la ligne. Malgré tous ses efforts, cet amour continuait de la consumer, et c'était uniquement pour éviter de se trahir qu'elle manifestait une telle hostilité à Marcus. Jamais elle ne supporterait qu'il découvre ce qu'elle ressentait pour lui.

Ce serait une humiliation dont elle ne se relèverait pas.

2.

— Mon Dieu ! Il fait une chaleur épouvantable ! Que se passe-t-il ?

A peine arrivée chez sa grand-tante Alice, Lucy enleva sa veste.

— J'ai soudoyé Johnson pour qu'il mette le chauffage, expliqua son frère Piers avec un clin d'œil malicieux.

— A quelle température l'a-t-il réglé ? C'est un véritable sauna, ici ! Mes fleurs vont se faner avant même que j'aie pu les offrir à tante Alice.

— Imagine mes chocolats...

Lucy pouffa, mais au même instant, la porte du hall s'ouvrit. Le cœur battant à tout rompre, elle se figea, tandis que Marcus entrait dans la pièce. Les conversations marquèrent une pause imperceptible. Manifestement, tout le monde était sensible à son charisme, songea-t-elle en s'efforçant de détourner les yeux.

Mais son regard était irrésistiblement attiré vers lui. Grand, taillé en athlète, il avait d'épais cheveux noirs et des yeux gris qui brillaient d'un éclat presque inquiétant. Il émanait de tout son être un charme irrésistible et une virilité à couper le souffle.

Pas étonnant que toutes les femmes le dévorent des yeux d'un air ébloui ! Marcus était séduisant. Très séduisant...

Lucy porta sa coupe de champagne à ses lèvres. Il fallait absolument qu'elle parvienne à fixer son attention sur autre chose… Mais elle ne pouvait s'empêcher de lui jeter des coups d'œil furtifs. Comme toujours, il était d'une élégance irréprochable. Costume noir sur mesure, chemise blanche et cravate bordeaux.

Elle but une autre gorgée de champagne. Mmm… Il fallait reconnaître que c'était délicieux et que ça se buvait très facilement. Obligée de garder les idées claires lors des soirées organisées par *Clé en main*, elle avait pris l'habitude de se contenter d'un verre, dans lequel elle trempait à peine les lèvres. Mais ce soir, elle ne travaillait pas. Après tout, le champagne l'aiderait peut-être à surmonter le trouble qui la submergeait depuis l'arrivée de Marcus…

La voix de sa mère la fit tressaillir.

— Je suis si heureuse que Marcus ait finalement réussi à se libérer ! Charles, va lui demander de se joindre à nous, s'il te plaît.

— Il fait décidément beaucoup trop chaud pour les fleurs ! s'exclama aussitôt Lucy. Je crois que je ferais mieux de les mettre dans l'eau.

Son bouquet dans une main et sa coupe de champagne dans l'autre, elle quitta précipitamment la pièce.

Comment Johnson et sa femme parvenaient-ils à entretenir un lieu aussi immense avec l'aide d'une seule femme de ménage qui ne venait que quelques heures par jour ? se demanda-t-elle en s'engageant dans le labyrinthe de couloirs qui sillonnaient l'appartement.

Au bout d'un moment, elle finit par arriver dans la « salle des fleurs ».

Des vases remplis d'eau étaient alignés sur une grande table, prêts à recevoir les bouquets des invités. Lucy enleva le papier entourant le sien et entreprit de disposer les fleurs dans un vase, une par une.

Ses mains tremblaient. Pourquoi était-elle aussi perturbée ? Elle haussa les épaules. Question idiote. Quel âge avait-elle ? Vingt-neuf ans. Et combien de temps s'était-il écoulé depuis le jour où elle avait pénétré pour la première fois dans le bureau de Marcus ? Elle ne savait plus exactement. En revanche, elle n'oublierait jamais le bond que son cœur avait fait dans sa poitrine quand elle avait posé les yeux sur lui. Aussitôt, elle avait su.

Des larmes lui brouillèrent la vue.

Oh, oui… Elle avait su au premier regard qu'elle venait de rencontrer l'homme de sa vie. Mais au même instant, elle avait su également que ce coup de foudre n'était pas réciproque.

Encore très jeune et pleine d'illusions, elle avait nourri l'espoir que la situation évoluerait. Qu'un jour, en entrant dans son bureau, elle verrait enfin s'allumer dans les yeux de Marcus une lueur révélatrice. Qu'incapable de résister à la tentation, il se jetterait sur elle et lui arracherait ses vêtements…

Sa gorge se noua. Combien de fois avait-elle caressé ce rêve ? Combien de fois avait-elle écouté les sermons de Marcus sans broncher parce qu'elle imaginait une tout autre scène, au cours de laquelle il se levait brusquement pour la prendre dans ses bras et l'embrasser avec fougue avant de la renverser sur le bureau ?

Bien sûr, ce rêve ne s'était jamais réalisé.

Un jour, elle avait fait taire son imagination et elle avait vraiment écouté Marcus pendant qu'il la sermonnait. Elle l'avait vraiment regardé. Et elle avait compris que ses espoirs étaient vains. Il ne répondrait jamais à son désir et encore moins à son amour.

C'était ce jour-là qu'elle avait décidé de trouver un autre homme. Elle avait compris qu'il lui fallait à tout prix un garde-fou. Si elle restait seule, elle finirait par se laisser submerger par ses sentiments et par les avouer à Marcus. Or c'était une humiliation qu'elle voulait éviter à tout prix.

Elle pensait qu'un mari et une famille suffiraient à la protéger d'elle-même. Malheureusement, elle s'était fourvoyée. Non seulement son mariage n'avait amélioré en rien sa vie sentimentale, mais il avait mis en péril sa vie professionnelle...

Et bien sûr, son amour pour Marcus restait intact. Pour l'instant, elle parvenait encore à supporter la situation. Mais un jour, il se marierait. Ce jour-là, que deviendrait-elle ? Un frisson d'horreur la parcourut.

Dire qu'elle avait cru pouvoir se mettre à l'abri de la souffrance en fondant une famille avec un autre homme...

Lucy prit une profonde inspiration. Il fallait rejoindre les autres. Elle ne pouvait décemment pas s'éterniser dans cette pièce. Avec un peu de chance, Marcus était déjà reparti. Après avoir mis la touche finale à son bouquet, elle regagna le salon.

Dès son retour, son cousin Johnny la saisit par le bras.

— Ah, te voilà. Je te cherchais. Tu veux encore du champagne ?

Sans attendre sa réponse, il prit une coupe sur le plateau d'un serveur qui passait à proximité et la lui tendit.

— Il faut reconnaître que pour une fois, la vieille n'a pas lésiné sur le champagne. Il y a même des serveurs... Quelle classe ! C'est toi qui t'es chargée de l'organisation ?

— Oui, répondit Lucy.

En fait, sa grand-tante avait tellement discuté les prix qu'elle avait dû accepter de la laisser s'occuper elle-même de la nourriture. Ce qui expliquait sans doute pourquoi il n'y avait pratiquement rien à manger...

Elle déglutit péniblement. Pourquoi Marcus ne la quittait-il pas des yeux ? Il se trouvait à l'autre bout de la pièce, mais elle sentait son regard noir posé sur elle. Elle but une gorgée de champagne. Mieux valait ne pas imaginer sa réaction s'il apprenait le mensonge stupide qu'elle avait fait à Mᵉ McVicar ! A moins d'un miracle, elle allait être obligée d'inventer une autre fable pour expliquer à ce dernier qu'elle avait dû se débarrasser de son supposé investisseur.

— Lucy, j'ai quelque chose à te dire.

— Pardon ?

— J'ai quelque chose à te dire, répéta Johnny avec insistance.

Aussitôt, elle fut sur le qui-vive.

— Ecoute, si tu as besoin d'argent, je ne suis pas la mieux placée en ce moment pour te dépanner. D'ailleurs, je te rappelle que tu me dois toujours cinquante livres.

— Rassure-toi, chère cousine, ce n'est pas ça. Il se trouve qu'un homme d'affaires de ma connaissance souhaite te rencontrer.

— Vraiment ?

— Oui. Prends une autre coupe de champagne.

Avant qu'elle ait le temps de protester, Johnny lui prit sa coupe des mains et fit signe à un serveur pour l'échanger contre une pleine.

A l'autre bout de la pièce, les yeux toujours fixés sur elle, Marcus eut une moue réprobatrice. Les joues en feu, Lucy se déplaça légèrement afin de lui tourner le dos.

— S'il souhaite donner une soirée, le plus simple est de m'appeler à mon bureau, dit-elle à Johnny en s'efforçant de masquer son trouble.

— Non. Il veut te rencontrer. Apparemment, *Clé en main* l'intéresse beaucoup et il envisage d'y investir.

Stupéfaite, Lucy resta sans voix. Pour se remettre de sa surprise, elle but une gorgée de champagne.

— Il est lui-même chef d'entreprise, poursuivit son cousin.

La société qu'il a créée lui a rapporté une fortune. C'est une sorte d'agence d'intérim qui permet aux particuliers d'engager ponctuellement des employés de maison — gouvernantes, majordomes, cuisiniers, femmes de ménage, etc. Il est même possible d'employer quelqu'un pendant une heure, pour attendre l'employé du gaz ou faire des courses, par exemple. Il a vu les photos parues dans *La vie de la Jet-set* cette semaine, et il a entendu dire que tu étais ma cousine. Il m'a confié que *Clé en main* était exactement le genre de sociétés dans lesquelles il aimerait investir. Je me suis permis de lui dire que je devais te voir aujourd'hui et que je te parlerais de lui.

Lucy n'en croyait pas ses oreilles. Ça alors ! Quel coup de chance ! Elle en avait le vertige…

— Pourquoi ne le rencontrerais-tu pas afin qu'il t'explique lui-même ce qu'il a en tête ? Puis-je lui dire de t'appeler à ton bureau ?

Lucy but une gorgée de champagne. C'était incroyable ! Le miracle qu'elle n'aurait jamais osé espérer venait de se produire ! Son soulagement était si intense, qu'elle en défaillait presque…

— Bien sûr, Johnny, répondit-elle en s'efforçant de réprimer son excitation.

— Parfait. A mon avis, tu auras rapidement de ses nouvelles. Il s'appelle Andrew Walker.

Johnny regarda sa montre.

— Mon Dieu ! Il faut que je file.

Lucy posa sa coupe vide sur le plateau d'un serveur qui passait à proximité, et en prit machinalement une pleine. Pourquoi avait-elle mis ces chaussures à talons aiguilles ? se demanda-t-elle en grimaçant. Elle savait parfaitement que c'était une erreur. Les chaussures, c'était la passion de Julia, pas la sienne. Si elle s'était laissé convaincre d'acheter ces sandales à

26

talons démesurément élevés, c'était uniquement parce qu'elles étaient du même bleu vif que sa robe favorite.

Malheureusement, elles étaient redoutables sur du parquet. Surtout quand ce dernier, poli à l'ancienne, était aussi glissant qu'une patinoire…

Elle promena son regard autour d'elle. Ni ses parents ni son frère n'étaient en vue. Pouvait-elle se permettre de s'éclipser ? A peine avait-elle fini de se poser la question que Marcus surgissait à son côté.

— Tu ne crois pas qu'il serait temps d'arrêter ? demanda-t-il sèchement.

« Arrêter quoi ? songea-t-elle aussitôt. De te désirer comme une folle ? De t'aimer ? De rêver de toi jour et nuit ? »

Elle but une gorgée de champagne. Si seulement elle en avait été capable… Elle ne demandait que ça !

— Eh bien, figure-toi…

Effarée, Lucy s'interrompit brusquement. Seigneur ! Que lui prenait-il ? Elle avait bien failli se trahir. Mais aussi, pourquoi Marcus était-il venu la rejoindre ? Quand il se trouvait à côté d'elle, elle ne parvenait pas à garder les idées claires.

Soudain, elle laissa échapper un petit cri et faillit basculer en avant. Quelqu'un l'avait bousculée ! Ce n'était pourtant pas le moment ! Entre les talons aiguilles et la proximité de Marcus, elle avait toutes les peines du monde à garder son équilibre…

Elle tressaillit en sentant une main se refermer sur son bras.

— Combien de coupes as-tu bues ? demanda Marcus d'un ton brusque.

— Pas assez ! répondit-elle avec une désinvolture qui la surprit vaguement.

Il la regardait avec une exaspération manifeste. Comme d'habitude…

— Tu tiens à peine debout !

— Et alors ?

Lucy releva le menton d'un air de défi. Pourquoi éprouvait-elle un besoin irrésistible d'attiser la colère de Marcus ? se demanda-t-elle confusément. Etait-ce parce qu'elle avait besoin de voir briller cette lueur de mépris dans ses yeux pour ne pas oublier que son amour pour lui était impossible ?

— Pourquoi n'aurais-je pas le droit de boire du champagne ? J'ai quelque chose à fêter.

Elle vida sa coupe d'un trait avant qu'il ait le temps de la lui prendre. Puis elle promena son regard autour d'elle à la recherche d'un serveur. Décidément, c'était la dernière fois qu'elle mettait ces chaussures, décida-t-elle en vacillant.

Marcus resserra ses doigts sur son bras.

— Qu'as-tu de si important à fêter ?

— Un miracle, répliqua-t-elle en s'appliquant à prononcer distinctement chaque syllabe.

Etait-ce un effet de son imagination ou bien Marcus venait-il réellement de jurer à mi-voix ? se demanda-t-elle en levant le bras pour faire signe au serveur.

— Le miracle, c'est que tu parviennes encore à tenir debout, maugréa-t-il.

Alors que le serveur arrivait à leur hauteur, elle tendit la main. Mais avant qu'elle puisse se servir, Marcus lui broya les doigts.

— Ça suffit.

— J'ai soif !

« Soif de tes baisers, mon amour. Soif de tes caresses... » Elle regarda la main de Marcus, refermée sur la sienne. Seigneur ! Comme elle avait envie de sentir ces longs doigts se promener sur sa peau... Submergée par une vague de désir, elle fut parcourue d'un long frisson.

28

La voix glaciale de Marcus l'arracha soudain à ses fantasmes.

— Il est temps de nous en aller.

— « Nous » ?

— Oui. « Nous. » J'étais sur le point de partir. Et à moins que tu aies envie de te ridiculiser devant les invités de ta grand-tante en t'étalant de tout ton long sur le parquet, je te conseille de me suivre. Ou plutôt, non. Je te l'ordonne.

— Tu es chargé de gérer mon héritage, Marcus. Pas ma vie.

— N'abuse pas de ma patience, s'il te plaît. De toute façon, il faut que je te parle de *Clé en main*.

Lucy se raidit.

— Si tu as l'intention de me faire un nouveau sermon à propos de Nick…

— Tais-toi et écoute. Je t'ai dit il y a quelque temps que Beatrice voulait organiser un anniversaire surprise pour les cinquante ans de son mari. Tu t'en souviens peut-être ?

— Oui.

Beatrice, la sœur aînée de Marcus, était mariée avec un haut fonctionnaire.

— Je dois la voir cette semaine et elle a suggéré que tu m'accompagnes, poursuivit Marcus. Elle voudrait discuter de cette soirée avec toi. J'ai pensé que tu aimerais consulter ton agenda avant que nous fixions une date pour ce rendez-vous.

Impossible de refuser un nouveau contrat, songea aussitôt Lucy. Même si toute rencontre avec Marcus avait le fâcheux effet de la déstabiliser…

— Je n'ai pas une semaine très chargée, répliqua-t-elle d'un ton qu'elle espérait posé.

A vrai dire, elle était même entièrement libre…

Ils arrivaient à la porte donnant sur le hall, constata-t-elle soudain avec surprise. Elle ne s'était même pas rendu compte que Marcus la conduisait vers la sortie ! De toute évidence, il avait réellement l'intention de l'emmener avec lui...

Si elle résistait, la traînerait-il de force ?

— Marcus, c'est très gentil à toi d'être venu, déclara la grand-tante Alice, qui venait de dire bonsoir à d'autres invités.

— Ce fut un vrai plaisir, Alice, répondit-il avec un sourire. Merci de m'avoir invité.

— C'est tout naturel, mon cher garçon. Ta famille gère les biens de la mienne depuis des siècles... Je suis vraiment navrée de ne rien avoir pu vous servir à manger, mais je n'y suis pour rien. C'est ma petite-nièce qui est responsable.

Lucy faillit s'étrangler d'indignation.

— Pardon ? Ce n'est pas... aïe ! cria-t-elle alors que Marcus la propulsait dans le hall avec vigueur. Lâche-moi ! Tu me fais mal !

— Désolé, mais c'est le seul moyen que j'ai trouvé pour te faire taire.

Elle le fusilla du regard.

— C'est Alice elle-même qui a insisté pour se charger des petits-fours ! S'il n'y avait rien à manger, ce n'est pas de ma faute !

— Quelle importance ? Il était inutile d'entamer une polémique avec Alice. Personne ne t'a jamais dit qu'il fallait parfois savoir user de tact ?

— Ça c'est un comble ! T'est-il arrivé une seule fois de faire preuve de tact en t'adressant à moi ?

Ils étaient arrivés à l'extérieur. Sans prendre la peine de lui répondre, Marcus héla un taxi.

— Tu me fais mal ! répéta-t-elle. Lâche-moi !

Ignorant ses protestations, il ouvrit la portière et la poussa sans ménagement à l'intérieur du véhicule avant de monter à côté d'elle. Avec humeur, elle se recroquevilla au fond de la banquette, en laissant le plus d'espace possible entre eux.

— Où allez-vous ? demanda le chauffeur.

— Wendover Square. Au 21, répliqua Marcus.

— Arncott Street, déclara Lucy au même instant.

— Décidez-vous, se plaignit le chauffeur.

— 21 Wendover Square, répéta Marcus d'un ton ferme.

Lucy le foudroya du regard.

— Il serait plus simple qu'il me dépose la première.

— Il faut que je te parle.

— Je t'écoute.

— En privé, précisa-t-il d'un ton rogue.

Quelques instants plus tard, le chauffeur tourna dans Wendover Square, l'une des places les plus chic de Londres, bordée d'élégantes maisons de brique rouge et de pierre blanche.

Celle de Marcus, acquise par ses ancêtres à l'époque de la fondation de la banque, était la mieux située. Entourée d'un grand jardin, elle comportait trois étages.

Le chauffeur, visiblement impressionné, descendit de voiture pour leur ouvrir la portière.

— J'espère que tu n'en as pas pour trop longtemps, Marcus, déclara Lucy en s'efforçant de prendre un ton professionnel.

Allons bon ! se dit-elle. Pourquoi avait-elle toutes les peines du monde à ne pas bafouiller ?

— Mme Crabtree n'est pas là ? demanda-t-elle en voyant Marcus sortir ses clés de sa poche.

La gouvernante de Marcus, qui avait une véritable vénération pour son employeur, mettait un point d'honneur à lui ouvrir la porte.

— Elle est partie passer quelques jours chez sa fille pour l'aider à s'occuper de son bébé.

— Oh !

Lucy trébucha dans le hall.

— Tu vois que tu as trop bu ! maugréa Marcus. Tu n'es absolument pas en état de rentrer seule chez toi.

Comment osait-il lui parler ainsi ? songea-t-elle avec indignation. Elle ne buvait jamais ! Mais avant qu'elle ait le temps d'émettre la moindre protestation, il poursuivit d'un ton sec :

— Il faut te rendre à l'évidence, tu n'es plus dans le coup, Lucy. Les trentenaires écervelées du genre Bridget Jones ne sont plus d'actualité. La nouvelle tendance est à la jeune femme responsable, mariée et mère de famille. Regarde Carly et Julia.

Comme si elle avait besoin qu'on lui rappelle que sa vie sentimentale était un fiasco ! songea-t-elle, le cœur serré.

— Je n'ai pas encore trente ans ! fit-elle valoir en relevant le menton. Et au cas où tu l'aurais oublié, j'ai été mariée.

Il eut un rire sarcastique.

— Comment pourrait-on oublier un mariage aussi catastrophique que le tien ?

— Et je n'ai pas bu ! ajouta-t-elle aussi fermement qu'elle le put.

— Vraiment ? Eh bien, tu présentes pourtant tous les symptômes de l'ivresse… Te rends-tu compte à quel point tu es vulnérable ?

Lucy écarquilla les yeux.

— Que veux-tu dire ?

— Dans l'état où tu es, tu es une proie rêvée pour n'importe quel homme peu scrupuleux.

— Ce n'est pas vrai !

— Non ? Tu veux que je te le prouve ?

— Je ne vois pas comment tu le pourrais.

— Vraiment ?

Il fut si rapide qu'elle ne comprit pas tout de suite ce qui lui arrivait. Sans avoir le temps de réagir, elle se retrouva dans ses bras, plaquée sur son torse puissant, tandis que sa bouche s'emparait de la sienne en un baiser impérieux.

«Un baiser de macho», songea-t-elle confusément. Mais quelle importance ? Elle s'en moquait. Elle s'en moquait éperdument !

Marcus l'embrassait !

3.

Fermant les yeux, Lucy noua les bras sur la nuque de Marcus et s'abandonna à son baiser exigeant. Il y avait si longtemps qu'elle en rêvait ! C'était un véritable miracle… Comment résister ? Submergée par un désir extrême, elle se mit à onduler contre lui. Le contact de sa virilité pleinement éveillée lui arracha un soupir extatique.

— Lucy… non !

Il la repoussa brutalement.

Au comble de la frustration, elle le regarda avec effarement.

— Tu es convaincue, à présent ? lança-t-il d'un ton acerbe. Tu es dans un tel état qu'on peut te faire faire n'importe quoi ! Tu as de la chance que…

— De la chance ? coupa-t-elle avec indignation. Si j'avais vraiment de la chance…

Elle s'interrompit brusquement. Seigneur ! Que lui prenait-il ? Elle avait failli se trahir une fois de plus et supplier Marcus de la reprendre dans ses bras… Il fallait absolument qu'elle se surveille.

Il la regardait d'un air condescendant.

— Allons, je crois qu'il est temps que tu dormes un peu. C'est encore le meilleur remède contre l'ivresse.

Les joues en feu, elle pivota sur elle-même. Il était urgent de quitter cette maison ! Même si elle n'était pas aussi ivre que le prétendait Marcus, il fallait reconnaître qu'elle avait bu plus qu'à l'accoutumée et qu'une certaine confusion régnait dans son esprit.

Toutefois, elle était assez lucide pour savoir que si elle restait une minute de plus en compagnie de Marcus, elle risquait de perdre la tête. Par conséquent, mieux valait prendre la fuite pendant que son honneur était encore sauf...

— Au revoir et merci pour la promenade ! lança-t-elle d'un ton qu'elle espérait désinvolte, tout en se dirigeant vers la sortie.

Marcus lui barra le passage.

— Il n'est pas question que tu sortes d'ici avant d'avoir recouvré tes esprits.

Il l'obligea à faire demi-tour et l'entraîna dans l'escalier. Le cœur battant à tout rompre, Lucy se débattit avec vigueur. Mais à son grand dam, elle se sentit vaciller dangereusement sur ses talons aiguilles.

— Allons, doucement..., dit-il en la soulevant dans ses bras pour monter les dernières marches qui menaient à l'étage.

Le visage enfoui dans le cou de Marcus, Lucy ne put s'empêcher de humer avec délectation le parfum épicé de son eau de toilette, auquel se mêlait l'odeur subtile de sa peau.

Il traversa le palier puis longea un couloir jusqu'à une porte qu'il poussa du pied. « Comme un héros de western », songea-t-elle béatement.

De toute évidence, il l'avait conduite dans une chambre d'amis, se dit-elle quand il alluma la lumière. A en juger par l'ordre impressionnant qui régnait dans la pièce, celle-ci n'était pas habitée en permanence. Des meubles anciens et des rideaux de chintz constituaient l'essentiel du décor, classique mais chaleureux.

A sa grande déception, Marcus la reposa à terre. Quel

dommage ! Elle était si bien dans ses bras… Elle avait telle-ment envie de prolonger ce moment délicieux !

Pourquoi ne pas se laisser aller ? La tentation était si grande… Pourquoi devrait-elle y résister à tout prix ?

Après tout, c'était une occasion unique de vivre son rêve. Marcus l'avait bel et bien embrassée, tout à l'heure. Et même s'il avait mis fin à ce baiser avec une brusquerie révoltante, elle pressentait qu'elle ne l'avait pas laissé indifférent. Son désir pour elle était incontestable. Alors, pourquoi ne pas l'inciter à y succomber ? Ne serait-il pas criminel de renoncer au bonheur ? Surtout si celui-ci devait être fugace…

Une fois… Rien qu'une seule fois…

Et demain ? Serait-elle assez forte pour supporter le mépris dont Marcus ne manquerait pas de l'accabler ?

Mais qu'importait demain ? Demain était encore loin. Ce qui comptait, c'était maintenant. Ici et maintenant. Et de toute façon, elle était accoutumée au mépris de Marcus. Il y avait des années qu'elle le subissait. Alors pourquoi laisser passer l'occasion de se fabriquer des souvenirs qui lui réchaufferaient le cœur jusqu'à la fin de ses jours ?

— Marcus…

Se rapprochant de lui, elle sentit ses manches courtes glisser sur ses épaules. Tiens, les pressions de sa robe s'étaient ouvertes… N'était-ce pas un signe ? Baissant les bras, elle laissa la robe glisser le long de son corps.

Puis, elle enjamba la robe qui était tombée à ses pieds, et se plaqua contre Marcus. Elle noua les bras sur sa nuque. Quelle bonne idée elle avait eue de s'offrir de nouveaux dessous pour fêter son divorce ! Il fallait reconnaître qu'elle se sentait plutôt sexy dans ce caraco de soie ivoire et sa petite culotte assortie.

Marcus trouvait-il cet ensemble à son goût ? Il lui parlait, mais elle n'entendait pas ce qu'il disait, constata-t-elle en l'embrassant dans le cou tout en s'enivrant de son odeur. Peu importait. A quoi bon parler ? Ils n'en avaient nul besoin.

Peu à peu, elle se laissait glisser dans sa rêverie familière. Pauvre Marcus... Il devait être terriblement gêné par tous ces vêtements — cette cravate et cette chemise boutonnée jusqu'au cou constituaient un véritable carcan. Il fallait l'aider à s'en débarrasser au plus vite.

Elle commença par la cravate, qu'elle s'efforça de dénouer avec des gestes impatients, en tirant le bout de la langue.

— Lucy !

— Mmm ?

Pourquoi cette cravate lui résistait-elle ? Elle aurait pourtant dû être capable de la dénouer...

— Lucy...

Les mains de Marcus se posèrent sur les siennes. De toute évidence, il partageait son impatience et voulait l'aider à le déshabiller. Elle leva les yeux vers lui. Ses lèvres sensuelles étaient vraiment irrésistibles...

Se hissant sur la pointe des pieds, elle les parsema de baisers gourmands. Quel délice !

Les mains de Marcus quittèrent les siennes pour se refermer sur sa taille. Comme c'était bon de sentir ses doigts impatients à travers la soie de son caraco ! songea-t-elle, envahie par des sensations vertigineuses. Mais ce serait encore plus extraordinaire s'il lui caressait la poitrine... Lui prenant une main, elle la posa sur un de ses seins frémissants.

— Lucy !

Que faisait-il ? Il n'essayait tout de même pas de la repousser ? Non, c'était impossible. Alors qu'elle perdait l'équilibre, elle tenta désespérément de se raccrocher à lui. Mais elle tomba sur le lit et l'entraîna dans sa chute.

Marcus allongé sur elle ! C'était un avant-goût du paradis. Un bonheur extraordinaire...

Parcourue de longs frissons, elle se mit à onduler langoureusement contre lui en passant le bout de la langue sur ses lèvres pour tenter d'en franchir le barrage.

Laissant échapper un cri étouffé, Marcus enfonça les doigts dans ses cheveux et captura sa bouche avec fougue.

Dire qu'elle imaginait savoir ce qu'était un baiser ! En réalité, jusqu'à aujourd'hui, elle n'en avait aucune idée, songea-t-elle en se laissant entraîner dans un océan de félicité.

C'était décidément une journée magique ! Alors que quelques heures plus tôt, elle s'enlisait dans des sables mouvants, deux miracles successifs venaient de lui redonner des ailes…

Mais soudain, Marcus s'écarta d'elle, lui arrachant un cri de protestation. Qu'avait-il ? Il n'allait tout de même pas mettre fin à son rêve d'une manière aussi brutale ? Ce serait criminel ! Il n'était pas question de le laisser faire.

Elle glissa les mains sous sa chemise. Avec un grognement, il referma les siennes sur ses seins palpitants, puis caressa du bout des doigts leurs deux mamelons hérissés, faisant glisser sur eux la soie de son caraco. Transpercée par mille petites flèches de plaisir, Lucy laissa échapper un long gémissement modulé et se cambra contre lui. Seigneur ! Le témoignage de son désir pour elle allait la rendre folle !

Une main se referma sur une de ses fesses et le crissement de la soie sur sa peau l'électrisa. Quand elle sentit les doigts de Marcus se glisser sous sa culotte, elle crut défaillir.

Ondulant de plaisir, elle écarta les cuisses pour mieux s'offrir à ses caresses. Tout en caressant le cœur brûlant de sa féminité, Marcus se mit à lécher du bout de la langue la pointe d'un de ses seins.

Un cri rauque s'échappa de la gorge de Lucy, tandis qu'elle vacillait au bord du gouffre, ne s'appartenant déjà plus.

— Marcus… attends, protesta-t-elle.

A travers le tissu de son pantalon, Lucy referma les doigts

sur sa virilité triomphante. Se redressant vivement, celui-ci se dévêtit en toute hâte, puis il lui arracha sa petite culotte et la pénétra d'un seul mouvement puissant.

Elle noua les jambes autour de sa taille et s'abandonna au mouvement rythmé de ses reins, se laissant emporter par une vague de plaisir d'une force surnaturelle.

Dès qu'elle ouvrit les yeux, Lucy sut qu'elle n'était pas dans son lit. Toutefois, il lui fallut quelques secondes pour se rappeler où elle se trouvait.

Dans la maison de Marcus à Wendover Square.

Elle laissa échapper un gémissement, tandis que des images très perturbantes s'imposaient à elle.

Que lui avait-il pris ? Certes, elle aimait Marcus et elle l'aimerait toujours, mais... Elle déglutit péniblement, s'efforçant de chasser de son esprit des souvenirs qui faisaient naître au creux de son ventre une chaleur importune.

Elle consulta sa montre. 10 heures !

Elle se redressa d'un bond. C'était impossible. Elle s'était toujours réveillée à 7 heures au plus tard ! Toujours. Même pendant son voyage de noces...

Certes. Mais la nuit qu'elle venait de passer dans ce lit était une nuit exceptionnelle... Jamais elle n'avait éprouvé avec Nick le plaisir fabuleux qu'elle avait découvert dans les bras de Marcus.

Marcus ! Où était-il passé ? Les joues en feu, elle saisit le drap pour couvrir ses seins. Pourquoi ce réflexe ? se dit-elle aussitôt. C'était ridicule. D'autant que son sixième sens lui disait qu'elle était seule dans la maison.

Elle promena son regard autour d'elle. Ses vêtements étaient soigneusement pliés sur un fauteuil, alors qu'hier elle les avait éparpillés dans toute la chambre, se rappela-t-elle en rougissant de plus belle. Sur la commode était posée une enveloppe portant son nom, écrit de la main de Marcus.

Le cœur battant, elle se leva. L'enveloppe contenait un mot laconique.

« Ta culotte est dans le sèche-linge. Ne pars pas sans avoir pris ton petit déjeuner. Tu trouveras du café, des fruits, des céréales, etc. dans la cuisine. Je t'appellerai cet après-midi à propos du rendez-vous avec Beatrice. »

Sa culotte était dans le sèche-linge… Comme c'était romantique ! songea-t-elle avec dérision.

Elle constata avec plaisir que la salle de bains de la chambre d'amis était équipée de tous les accessoires et produits nécessaires à un visiteur dépourvu de trousse de toilette. Une brosse à dents neuve et un tube de dentifrice, un peigne sous Cellophane, un échantillon de crème pour le visage, et même du déodorant !

Avoir les cheveux raides avait du bon. Il suffisait de les laver et de les démêler. Le temps de se rendre à pied à son bureau, ils seraient secs. Etant donné l'heure tardive et la montagne de paperasse qui l'attendait, c'était une chance qu'elle ne soit pas obligée de repasser chez elle. Elle troquerait sa robe contre un jean et un corsage en arrivant au bureau. Heureusement qu'elle y gardait plusieurs tenues de rechange en cas d'imprévu…

Elle plissa le front. La migraine qui ne la quittait pas depuis son réveil allait en s'accentuant. Elle avait un besoin urgent de caféine… Malheureusement, celle-ci n'aurait sans doute aucun effet sur son anxiété. Elle appréhendait tellement de revoir Marcus… Comment allait-il se comporter avec elle ? Qu'allait-il dire à propos de la nuit qu'ils avaient passée ensemble ? Elle enfila sa robe et descendit au rez-de-chaussée, ses chaussures à la main.

Elle trouva la buanderie sans difficulté et récupéra sa culotte, qu'elle enfila avant de gagner la cuisine, impatiente de boire son premier café.

Mais elle eut beau fouiller tous les placards, elle ne trouva que du décaféiné. Avec une moue de dépit, elle se prépara une tasse tout en mordant sans enthousiasme dans une banane. Visiblement, Marcus et elle ne partageaient pas les mêmes goûts en matière de petit déjeuner !

Marcus… Lucy sentit ses joues s'enflammer. Comment avait-elle trouvé le courage de se jeter à sa tête ? En tout cas, même si elle appréhendait le moment où elle le reverrait, elle ne regrettait rien. Son corps, qui gardait le souvenir de chaque caresse et de chaque baiser, baignait dans un bien-être délicieux et elle avait l'impression qu'il irradiait de plaisir. Non, quoi qu'il arrive, elle ne regretterait jamais cette nuit fantastique.

Quelques minutes plus tard, elle quitta la maison en prenant soin de bien claquer la porte.

Son anxiété n'avait pas disparu, constata-t-elle en se dirigeant à pied vers son bureau, situé à quelques pâtés de maisons, dans Sloane Street. Rien de plus normal. Son corps exultait, mais son cœur était conscient des souffrances qui l'attendaient. Le retour à la réalité serait d'autant plus pénible que la nuit avait été fabuleuse…

Comment Marcus allait-il se comporter avec elle ? se demanda-t-elle pour la énième fois en pénétrant dans la cafétéria où elle faisait chaque matin le plein de caféine.

— Comme d'habitude ? demanda d'un ton enjoué la jeune serveuse qui se trouvait derrière le comptoir.

— S'il vous plaît, Sarah… Ou plutôt, non. Deux espressos au lieu d'un. Avec deux brownies.

Sarah eut un sourire malicieux.

— Caféine et glucides ? La nuit a dû être particulièrement bonne.

Lucy s'empourpra.

— C'est vrai, reconnut-elle.

Et ça resterait sans doute la meilleure de sa vie, songea-t-elle avec un pincement au cœur en repartant avec ses cafés et ses brownies.

Inutile de rêver. Il n'y avait aucune chance pour que Marcus veuille renouveler l'expérience. Elle pourrait déjà s'estimer heureuse s'il ne l'écrasait pas de son mépris…

Mais pour sa part, à présent que ses fantasmes s'étaient concrétisés et qu'elle savait à quel point la réalité dépassait tout ce qu'elle avait pu imaginer, elle était condamnée à vivre jusqu'à la fin de sa vie avec une certitude effroyable : non seulement elle aimerait Marcus toute sa vie, mais elle n'éprouverait jamais de désir pour un autre que lui…

En pénétrant dans l'immeuble où elle travaillait, elle dut faire un effort pour sourire à Harry, le portier.

Le silence qui régnait dans les bureaux de *Clé en main* accentua son désarroi. Dire que quelques semaines plus tôt ces pièces retentissaient de bruits joyeux ! Sonneries de téléphone, conversations, rires de ses deux amies… Comme tout cela lui manquait !

Mais ce n'était pas le moment de se laisser abattre. Avant tout, elle devait se changer. Quelques instants plus tard, vêtue d'un jean et d'un T-shirt, elle consultait sa messagerie électronique en buvant son premier espresso.

Aucune nouvelle commande, constata-t-elle sombrement. Contrairement à ce qu'elle avait dit à Mᵉ McVicar, elle n'avait qu'un seul contrat en cours. Une marque de vêtements de sport lui avait confié l'organisation d'une soirée pour le lancement de sa nouvelle chaussure de football. Le lieu retenu était une boîte de nuit branchée, fréquentée par le gratin de la télévision, de la mode et du sport.

Bien qu'elle ait déjà tout prévu dans les moindres détails,

Lucy examina une nouvelle fois le dossier en question en buvant son second café.

La principale attraction serait un ballet exécuté par des danseuses en costume de pom-pom girls aux couleurs de la marque. Pour le buffet, elle avait décidé de proposer un cocktail créé pour l'occasion, accompagné du mets favori des supporters : « Curry and chips » servi dans des mini-barquettes en plastique.

La sonnerie du téléphone la fit tressaillir. Le cœur battant, elle fixa l'appareil avec appréhension. Marcus. Ça ne pouvait être que lui... S'humectant nerveusement les lèvres, elle décrocha.

— Bonjour, pourrais-je parler à Lucy Blayne, s'il vous plaît ?

Comment pouvait-elle être à la fois aussi soulagée et aussi déçue ? se demanda-t-elle avant de répondre d'un ton courtois :

— Lucy Cardrew à l'appareil.

— Oh, bien sûr. Excusez-moi. Je suis Andrew Walker et je me permets de vous appeler sur les conseils de votre cousin Johnny.

Andrew Walker. La seule chance de survie de *Clé en main*...

— Oui, bien sûr. Bonjour, monsieur Walker.

— Ecoutez, je sais que je m'y prends à la dernière minute, mais je pars demain en voyage d'affaires à l'étranger et je me demandais si par chance vous seriez libre à déjeuner aujourd'hui, afin que nous puissions discuter.

Lucy consulta sa montre. Il était midi passé et elle n'avait aucun engagement, mais mieux valait ne pas montrer qu'elle était aux abois... Elle feignit de réfléchir.

— Eh bien... je pourrais éventuellement me libérer pour 13 h 30.

— Fantastique. Que diriez-vous de nous rencontrer à *La Brasserie* dans Pont Street ?

— Ce serait parfait.

La Brasserie se trouvait à deux pas et c'était un de ses restaurants favoris.

Lucy raccrocha et gagna la pièce qui lui servait de dressing. Pas question de se rendre à ce rendez-vous en jean. Il fallait mettre une tenue plus appropriée. Son tailleur Armani, par exemple… Un ensemble fétiche qu'elle portait à chaque rendez-vous important.

4.

A 13 h 30 précises, revigorée par deux espressos supplémentaires, Lucy pénétra dans le hall de *La Brasserie*.

Le réceptionniste l'accueillit avec un large sourire.

— J'ai rendez-vous avec M. Walker… Andrew Walker.

— M. Walker vous attend, déclara le maître d'hôtel, qui arrivait vers elle.

— Oh, Angelo, s'écria-t-elle, tu es de retour ! Quel plaisir de te revoir ! Comment s'est passé ton séjour à Sydney avec ton fils et ton petit-fils ?

— Ce garçon… il est fantastique ! Il a son propre restaurant, à présent, répondit fièrement le maître d'hôtel en la conduisant jusqu'à une table légèrement à l'écart.

L'homme qui y était assis se leva et tendit la main.

— Andrew Walker.

— Bonjour, monsieur Walker. Lucy Cardrew.

D'âge moyen et de taille moyenne, il avait un visage quelconque, nota-t-elle. Son costume noir était classique, mais impeccablement coupé. De toute évidence, il s'habillait sur mesure — comme Marcus — et sa chemise provenait sans doute d'un tailleur chic de Jermyn Street. Cependant, contrairement à Marcus, qui possédait une aisance et une distinction naturelles, Andrew Walker ne semblait pas très à l'aise dans ses vêtements. Comme s'il n'avait pas l'habitude de s'habiller ainsi…

Tout en faisant signe au serveur, il déclara :

— Votre cousin vous a sans doute expliqué que votre société me paraissait très intéressante et que je serais éventuellement prêt à y investir ?

— Oui, en effet.

Lucy prit le menu que lui tendait le serveur et secoua la tête quand Andrew Walker lui demanda quel vin elle souhaitait boire.

— De l'eau pour moi, s'il vous plaît.

Quand leurs entrées furent servies, Walker reprit la conversation. Se penchant vers elle avec une mine de conspirateur, il lui dit à voix basse :

— Je dois vous préciser qu'il est impératif que vous fassiez preuve de la plus grande discrétion à propos de ma démarche. Personne ne doit être mis au courant.

— Il faut pourtant que j'en informe mon notaire ! s'exclama-t-elle, perplexe.

— Bien sûr, mais il serait préférable d'attendre que nous soyons parvenus à un accord définitif. Et je souhaiterais que tous les papiers nécessaires soient établis au préalable par mon propre avocat.

Il eut un léger haussement d'épaules.

— En affaires, on ne se méfie jamais assez. Il se trouve qu'en raison du succès de mon entreprise, mes concurrents sont à l'affût de la moindre initiative de ma part. Or tous les marchés sont limités, n'est-ce pas ? A ce propos, quel est votre niveau d'activité actuellement ?

— Très faible, répondit Lucy avec honnêteté. Je suppose que vous êtes au courant des problèmes financiers auxquels je suis confrontée ?

— Bien sûr.

— J'ai un contrat important pour la fin du mois. Une soirée pour le lancement d'une nouvelle chaussure de sport...

— Vous arrive-t-il souvent de travailler pour des entreprises ?

— Autant que je peux. C'est plus rentable que les soirées privées. La plupart du temps, les dirigeants d'entreprises souhaitent inviter un maximum de célébrités afin de bénéficier d'une couverture médiatique importante. Or l'accès à mon carnet d'adresses est un service que je facture et sur lequel la marge est évidemment très intéressante. En revanche, lorsque j'organise une réception privée, la liste des invités est fournie par le client. Pour le lancement de produit dont je viens de vous parler, par exemple, mon client a bien sûr fait appel au célèbre joueur de football qui incarne la marque. Mais de mon côté, j'ai envoyé des invitations à toutes les célébrités figurant dans mon carnet d'adresses.

— C'est-à-dire ?

— Des acteurs de cinéma, des top modèles, des vedettes de la télévision, des membres de la jet-set...

— Si je comprends bien, le succès de *Clé en main* doit beaucoup à votre carnet d'adresses ?

— Pas seulement. Mon savoir-faire joue également un rôle essentiel.

— C'est vous qui vous occupez du choix du lieu, du buffet, de la décoration et de tout le reste ?

— Bien sûr. Je suis extrêmement sélective. La réputation de *Clé en main* s'est faite sur la qualité et l'originalité des services fournis.

— Je vois. Avez-vous déjà envisagé de franchiser le concept de *Clé en main* ?

Lucy arqua les sourcils.

— Non.

— Eh bien, c'est justement un domaine que j'aimerais exploiter si nous nous associons. Cela supposerait des investissements importants au départ, mais leur taux de rendement devrait se révéler rapidement très intéressant. Il s'agirait de fournir à nos franchisés tout ce dont ils ont besoin pour satisfaire leurs clients. Nous serions en quelque sorte leur fournisseur exclusif dans tous les domaines — infrastructures, restauration, décoration, animation, personnel de service et d'entretien, etc.

Les yeux brillant d'excitation, Lucy en oubliait de manger.

— C'est une idée séduisante. Cependant, elle suppose une mise de fonds considérable...

— Bien sûr. Mais comme je vous l'ai dit, le retour sur investissement en vaudrait largement la peine.

Lucy resta songeuse un instant. Que répondre à cette proposition ? Elle s'attendait tout au plus à une injection de capital qui lui permettrait de renflouer sa société. Mais ce que venait de décrire Andrew Walker le plus naturellement du monde, c'était la construction d'un empire industriel !

— J'aimerais mettre ce projet en chantier le plus rapidement possible, mais je n'attends bien sûr pas de réponse immédiate de votre part, reprit ce dernier. Je comprends que vous ayez besoin d'un peu de temps pour réfléchir. Seriez-vous d'accord pour que nous nous rencontrions de nouveau à mon retour ?

— Oui, pourquoi pas ? répliqua Lucy en s'efforçant de garder un ton neutre.

Pas question que son interlocuteur soupçonne à quel point elle était enthousiasmée par les nouvelles perspectives qui s'ouvraient à elle.

— Tenez, voici ma carte, dit Andrew Walker. Je viens d'acheter une propriété dans le quartier de Holland Park. Quand les travaux de rénovation seront terminés, j'y donnerai une grande réception. Si nos relations évoluent comme je le souhaite, cette soirée sera organisée par *Clé en main* et nous y annoncerons officiellement notre association.

Il était 15 heures quand Lucy regagna son bureau, l'esprit en effervescence. Quelle chance incroyable ! Et tout ça parce qu'Andrew Walker avait vu dans *La vie de la Jet-set* les photos de la soirée organisée par *Clé en main*. Ce cher Dorland... Elle lui devait décidément une fière chandelle.

Le seul problème, c'était qu'elle ne pouvait parler de rien à Marcus. Du moins pour l'instant. Bientôt, elle pourrait lui annoncer la fantastique nouvelle. Car elle allait accepter, bien sûr. Inutile de réfléchir pendant des jours pour prendre sa décision. De toute façon, elle n'avait pas le choix.

A propos de Marcus... Elle consulta son répondeur. Aucun message de lui. Il avait pourtant promis de l'appeler. Avait-il changé d'avis ? Avait-il décidé qu'après ce qui s'était passé la nuit précédente, il ne voulait plus jamais la voir ?

Debout devant la fenêtre, Marcus était songeur.

Son père, son grand-père et leurs ancêtres avant eux avaient occupé ce bureau. Lui-même avait su dès l'enfance qu'un jour il prendrait à son tour la direction de la banque familiale. Son père étant mort quand il n'avait que six ans, il avait été élevé par sa mère et son grand-père, qui avaient eu à cœur de lui inculquer le sens de l'honneur et des responsabilités.

Quand il avait terminé ses études, à vingt et un ans, l'avenir qui l'attendait ne l'enchantait nullement. Mais son grand-père, âgé de quatre-vingts ans, méritait de prendre sa retraite. Il avait donc suivi son devoir et renoncé à ses rêves de voyages. Lui qui voulait parcourir le monde, il s'était enfermé dans ce bureau pour assumer les responsabilités qui lui incombaient.

Marcus soupira. Dès leur première entrevue, Lucy lui avait inspiré un profond agacement. D'abord parce qu'il n'avait aucune envie de jouer le rôle que lui avait imposé le défunt grand-oncle de la jeune fille. Mais surtout, il avait vu s'allumer dans ses yeux une lueur révélatrice. De toute évidence, la gamine qu'elle était encore à l'époque s'était amourachée de lui en quelques minutes.

Il n'avait pas pu choisir sa vie professionnelle, mais il était fermement décidé à préserver ce qui lui restait d'indépendance. Un jour, bien sûr, il se marierait et fonderait une famille. Après tout, il se devait, comme son père et son grand-père avant lui, d'engendrer un fils qui prendrait sa succession. Mais il n'y avait pas d'urgence. Et de toute façon, il était fermement décidé à bannir l'amour de sa vie.

Sa mâchoire se crispa. Il était bien placé pour savoir quels ravages pouvait provoquer ce sentiment fâcheux. Quand il avait eu six ans, son père l'avait abandonné, ainsi que sa sœur et sa mère, parce qu'il était tombé amoureux d'une autre femme… Quel désespoir il avait éprouvé alors ! Quel sentiment d'injustice ! Il s'était mis à haïr ce père jusque-là vénéré.

Mais trois semaines plus tard, celui-ci s'était tué avec sa maîtresse dans un accident de voiture. Submergé par le chagrin, Marcus n'avait pu continuer à le haïr, mais il avait pris en horreur le sentiment qui avait causé sa perte. Il s'était promis de ne jamais commettre la même erreur.

Cette promesse, il l'avait toujours tenue : il n'était jamais tombé amoureux. Ses maîtresses, il les choisissait plus âgées que lui, souvent divorcées, et de toute façon assez indépendantes pour accepter son refus de s'engager.

Bref, des femmes qui étaient tout le contraire de Lucy.

Au fil des ans, l'agacement que celle-ci avait fait naître en lui ne s'était pas atténué, bien au contraire. Plus le temps passait, plus elle l'exaspérait. A vrai dire, sa seule présence le hérissait. Malgré son intelligence indéniable, elle était capable des pires énormités. Comment avait-elle pu être assez naïve pour épouser Nick Blayne ?

Bien sûr, il avait été ravi qu'elle reporte sa flamme sur un autre homme. Mais Nick Blayne ! L'annonce de leur mariage l'avait plongé dans une colère noire. La malhonnêteté de cet individu sautait aux yeux. Mais de toute évidence, Lucy avait été aveuglée par l'amour. L'amour *et* le désir, s'il en croyait les photos la montrant pratiquement nue dans les bras de ce triste individu, sur une plage des Caraïbes où elle l'avait rencontré…

Curieusement, à sa colère était mêlé un vague sentiment de culpabilité. Mais pourquoi diable ? Il n'était pas responsable du mariage de Lucy ni de ses conséquences désastreuses. Après tout, il avait fait tout ce qui était en son pouvoir pour empêcher la jeune femme de mêler son mari à la gestion de sa société. Mais bien évidemment, elle avait refusé de l'écouter.

Pourtant, il ne pouvait s'empêcher de se sentir coupable. Et curieusement, cela ne faisait qu'accroître son irritation envers la jeune femme.

En tout cas, il était à présent fermement déterminé à protéger ce qui restait de son héritage… y compris contre elle-même si nécessaire. *Clé en main* était au bord de la faillite et il ne restait qu'une solution pour redresser la situation. Une injection massive de capital accompagnée d'une gestion rigoureuse. Il avait bien envisagé de reprendre lui-même les choses en main, mais il ne disposait pas du temps nécessaire.

De toute façon, ça n'aurait sans doute pas été une bonne idée. L'attirance que Lucy avait d'abord éprouvée pour lui s'était peu à peu transformée en un profond ressentiment, il le sentait. Elle prenait systématiquement le contre-pied de tout ce qu'il lui disait et se montrait particulièrement agressive avec lui.

Jusqu'à la nuit dernière… Par quelle aberration s'étaient-ils retrouvés dans les bras l'un de l'autre ? Certes, c'était le champagne qui avait fait perdre la tête à Lucy. Mais lui ? Que lui avait-il pris ? Jamais auparavant il ne lui était venu à l'esprit de coucher avec elle.

C'était pourtant ce qu'il avait fait. Et à présent…

Il plissa le front. Dans quelques mois, il aurait trente-cinq ans. Age auquel tous ses ancêtres avaient déjà fondé une famille et engendré l'héritier qui leur succéderait à la tête de la banque. Il était temps qu'il suive leur exemple et qu'il se marie.

Or trouver une épouse capable de s'adapter à son mode de vie et de comprendre les responsabilités qui étaient les siennes risquait de ne pas être aisé. D'autant plus qu'il n'avait aucune intention de faire preuve d'hypocrisie. Il n'était pas question pour lui de jouer la comédie de l'amour. Sa future épouse devrait accepter un mariage de convenance dont le principal objectif serait d'assurer sa descendance.

En bref, il lui fallait une femme avec qui il soit compatible à la fois socialement et sexuellement. Ce qui était le cas de Lucy…

Lucy ? Etait-il devenu fou ? C'était sans doute la femme qui l'exaspérait le plus au monde !

Peut-être. Mais c'était également la femme avec qui il avait passé la nuit la plus explosive de sa vie…

Par ailleurs, elle aimait les enfants et avait toujours manifesté son désir de fonder une famille nombreuse. Ce mariage serait avantageux pour l'un comme pour l'autre. Il avait besoin d'une épouse et Lucy avait besoin d'un mari. Ne serait-ce que pour l'empêcher de tomber entre les griffes d'un autre Nick Blayne.

Pas de doute, c'était la meilleure solution. Il allait épouser Lucy. Et le plus tôt serait le mieux. Certes, il restait encore à la convaincre que c'était dans son intérêt, mais il savait exactement comment s'y prendre.

Dès le premier instant, le contact de leurs peaux nues l'une contre l'autre avait déclenché des étincelles, et par la suite leur entente avait été parfaite. D'une sensualité débordante, Lucy avait un tempérament de feu. Or depuis son divorce, elle était seule. Nul doute que cette solitude lui pesait.

Il suffisait de tirer parti de cette situation, décida-t-il froidement en décrochant le téléphone.

Le voyant de son répondeur clignotait quand Lucy regagna son bureau après un détour par la cafétéria, où elle s'était attardée plus longtemps qu'elle ne l'avait prévu. Quand elle reconnut la voix de Marcus, son cœur fit un bond dans sa poitrine. Il l'informait qu'il lui avait pris un rendez-vous avec sa sœur et qu'il passerait la chercher en bas de son bureau à 16 heures.

16 heures ? Il était moins dix !

Treize minutes plus tard, recoiffée et maquillée avec soin, elle descendait l'escalier, les jambes tremblantes.

— Tu es en retard, grommela-t-il en la prenant par le bras au moment où elle sortait de l'immeuble. Dépêche-toi, il y a un agent qui rôde. Je n'ai pas envie d'avoir une contravention.

Sans lui laisser le temps de protester, il l'entraîna vers sa Bentley, garée à quelques pas en stationnement interdit.

L'intérieur de la voiture sentait bon le cuir et le parfum de Marcus, constata Lucy, troublée. Prenant une profonde inspiration, elle ferma les yeux et se laissa aller contre le dossier de son siège.

— Notre avion décolle à 18 heures. Nous allons passer chez toi. Tu auras juste le temps de faire ta valise.

— Quel avion ? s'exclama-t-elle en se redressant d'un bond. Où allons-nous ?

— Voir Beatrice, bien sûr, répliqua-t-il d'un ton exagérément patient. Tu as déjà oublié qu'elle voulait te consulter pour l'organisation du cinquantième anniversaire de George ?

— Mais ta sœur habite à Chelsea !

— Actuellement, elle se trouve dans sa maison de Majorque. George est resté à Londres et elle veut profiter de son absence pour discuter plus tranquillement avec toi. Elle craint par-dessus tout qu'il devine ce qui se prépare.

Lucy déglutit péniblement. Il lui arrivait souvent de partir en déplacement pour visiter les lieux que ses clients avaient choisi pour leur réception. Toutefois, Marcus avait dit « notre » avion…

— Toi aussi, tu vas à Majorque ? demanda-t-elle d'un ton qu'elle espérait neutre.

— Je dois régler certaines affaires de famille avec Beatrice. Prévois plusieurs tenues de rechange. Nous resterons sans doute quelques jours.

Quelques minutes plus tard, il se garait devant chez elle.

— Je monte avec toi.

Ce n'était ni une question ni une suggestion, mais une affirmation.

Lucy s'efforça de maîtriser les battements de son cœur. Quand allait-il se décider à faire allusion à ce qui s'était passé entre eux la nuit précédente ? Toute la journée, elle avait appréhendé le moment où elle le reverrait…

Pourvu qu'il n'ait pas deviné la vérité ! C'était ce qu'elle craignait le plus. Elle avait même répété la scène dans son esprit pour se préparer à cette éventualité…

Marcus : *Tu es amoureuse de moi, n'est-ce pas ?*

Elle *(d'un air ahuri)* : *Pas du tout ! Qu'est-ce qui a bien pu te mettre cette idée extravagante dans la tête ?*

Marcus *(de ce ton pince-sans-rire qu'il affectionnait tant)* : *Aurais-tu oublié ce qui s'est passé entre nous la nuit dernière ?*

Elle *(avec un petit rire désinvolte)* : *Oh, c'est à cause de ça ? Mais voyons, c'était juste un petit coup de folie !*

Si seulement c'était la vérité…, se dit-elle en soupirant.

Précédant Marcus, elle salua brièvement le portier et se précipita dans l'escalier. Son appartement, situé au premier étage, était minuscule, mais du moins en était-elle propriétaire. Il ne grevait pas son budget comme le luxueux duplex que Nick l'avait poussée à louer après leur mariage…

Elle ouvrit la porte et pénétra dans la petite entrée. Pour y créer une impression d'espace, elle avait accroché au mur deux grands miroirs anciens récupérés dans le grenier de ses parents. Sous l'un d'eux se trouvait une petite table trouvée dans une brocante, qu'elle avait peinte dans la même nuance de crème que les murs. Elle y avait disposé harmonieusement sa collection de chandeliers de verre et ses précieuses bougies parfumées Jo Malone.

Marcus remarquerait-il le soin apporté à la décoration ? se demanda-t-elle en prenant l'étroit couloir qui menait dans le salon. Ce dernier était sobrement meublé et décoré dans diverses nuances de crème.

— Avant tout, je vais faire du café, annonça Lucy. Tu en veux une tasse ?

— Non, merci. Nous n'avons pas beaucoup de temps, tu sais.

— Désolée, mais je n'irai nulle part tant que je n'aurai pas bu au moins un espresso, insista-t-elle en se dirigeant vers la cuisine.

— D'accord, mais dépêche-toi ! Où ranges-tu ton passeport ?

— Dans la commode, derrière le canapé.

Marcus ouvrit un tiroir et arqua les sourcils. Pourquoi Lucy avait-elle deux passeports ? Il ouvrit le premier et vit la photo d'une jeune femme rayonnante aux yeux étincelants. Lucy

Blayne. C'était son passeport de femme mariée. En revanche, sur celui établi après son divorce, lorsqu'elle avait repris son nom de jeune fille, elle avait les traits tirés et le regard terne. De toute évidence, elle était complètement abattue.

Marcus eut une moue de dédain. Qu'avait-elle donc bien pu trouver à Nick Blayne ? Comment avait-elle pu l'aimer ? Etait-ce vraiment de l'amour qu'elle avait éprouvé pour lui ?

— Tu as trouvé ? demanda-t-elle en traversant le salon.

Une tasse à la main, Lucy gagna sa chambre. Après avoir tiré une valise de sous son lit, elle ouvrit sa penderie et y choisit des vêtements, qu'elle étala sur son lit.

— Si je rassemblais tes affaires de toilette pendant que tu fais ta valise ? demanda Marcus en la rejoignant.

Elle réprima un frisson. Il valait mieux en effet qu'il ne s'attarde pas dans sa chambre, songea-t-elle aussitôt. Le sentir si proche faisait naître en elle un trouble déstabilisant... Hochant la tête, elle lui tendit sa trousse de toilette et poussa un soupir de soulagement quand il disparut dans sa petite salle de bains.

Elle entreprit de plier soigneusement ses affaires et de les ranger dans les sacs plats qu'elle avait l'habitude d'utiliser en voyage.

— Où est ta pilule ? demanda Marcus depuis la salle de bains.

Sa pilule ? Elle se figea. Seigneur ! Voilà un détail auquel elle n'avait pas songé une seule seconde la nuit dernière. Ni depuis, d'ailleurs...

— Eh bien... je ne la prends pas, répondit-elle d'un ton circonspect.

Le moment tant redouté était arrivé. Marcus n'aurait pas pu trouver une façon moins romantique de faire allusion à ce qui s'était passé entre eux ! Et à présent, il avait une raison supplémentaire de blâmer sa conduite et de lui faire remarquer à quel point elle était stupide et irresponsable… Prenant une profonde inspiration, elle s'efforça de reprendre sa tâche.

Marcus plissa le front. Comment avait-il pu faire preuve d'une telle légèreté ? Dire qu'il était d'ordinaire d'une prudence extrême… La nuit dernière, il avait complètement oublié de prendre les précautions d'usage !

Depuis le seuil de la salle de bains, il observa Lucy. Soudain, il sentit le désir monter en lui. Pas de doute. Il avait envie d'elle comme jamais il n'avait eu envie d'aucune autre femme…

5.

Comme toujours, il régnait une grande animation dans l'aéroport de Palma. Se frayant tant bien que mal un passage entre les groupes de passagers et les tas de bagages, Lucy avait toutes les peines du monde à suivre Marcus.

Alors qu'il atteignait la sortie, deux jeunes femmes ravissantes portant l'uniforme d'une agence de location de voitures l'abordèrent. Cherchaient-elles à lui louer un véhicule ou à le séduire ? se demanda Lucy avec un pincement au cœur quand elle arriva enfin à sa hauteur.

— J'étais en train d'expliquer à ces demoiselles qu'une voiture de l'hôtel doit déjà nous attendre, déclara-t-il en se tournant vers elle.

— Quel hôtel ? demanda Lucy. Je croyais que nous allions chez Beatrice.

— En fait, ma sœur est ici pour superviser des travaux de rénovation dans les salles de bains de la villa. Il est donc préférable de loger ailleurs. J'ai réservé dans un hôtel de Deià, réputé pour son charme et son confort. Il est situé à proximité du *Residencia*, mais il paraît qu'il est encore plus agréable. Ah, voici notre chauffeur.

En se hissant sur la pointe des pieds, Lucy aperçut un chauffeur en uniforme qui brandissait une pancarte indiquant *Hôtel Boutique Deià*.

Elle connaissait bien Majorque, qui était l'un des lieux de séjour favoris de la jet-set. Le *Residencia* était l'hôtel le plus prestigieux des environs, mais d'après ce qu'elle avait entendu dire, le tout nouvel établissement *Boutique Deià* connaissait un succès grandissant. Des clients qui y avaient séjourné en étaient revenus enthousiasmés et le lui avaient chaudement recommandé.

L'air était d'une douceur extraordinaire, constata-t-elle en sortant de l'aéroport. C'était un peu comme si on venait de lui jeter sur les épaules une étole du plus luxueux cachemire. Et pourtant, la nuit était déjà tombée.

Elle monta dans la Mercedes dont le chauffeur venait d'ouvrir la portière et Marcus s'installa à côté d'elle. Elle réprima un frisson.

Seigneur ! Pourquoi avait-elle accepté de le suivre jusqu'ici ? Si elle devait passer plusieurs jours en sa compagnie, comment allait-elle trouver la force de résister à l'élan qui la poussait vers lui ? Surtout après la nuit qu'ils avaient passée ensemble ! Dire qu'il n'y avait toujours pas fait la moindre allusion…

— Où se trouve la villa de Beatrice ? demanda-t-elle d'une voix hésitante, tandis que la Mercedes s'engageait dans la file de véhicules qui se dirigeaient lentement vers la sortie de l'aéroport.

— A l'est de Palma, dans les collines.

— C'est loin de Deià. N'aurait-il pas mieux valu loger plus près de chez elle ?

— J'ai pensé que tu apprécierais le *Boutique*. Il paraît que c'est vraiment un endroit fantastique.

— Dans combien de temps y serons-nous ?

— Quelques minutes. Pourquoi ?

— Je donnerais n'importe quoi pour un espresso.

« Encore ! » se dit Marcus en fronçant les sourcils. Décidément, la caféine était une véritable drogue pour elle.

59

De son côté, lui aurait donné n'importe quoi pour pouvoir la renverser sans attendre sur la banquette et lui faire l'amour sauvagement...

— Veux-tu que je demande au chauffeur de s'arrêter quelque part ? s'enquit-il d'un ton neutre.

Elle secoua la tête.

— Non, c'est inutile. J'attendrai d'être à l'hôtel.

Lucy sentait sa migraine se réveiller et elle commençait à ressentir sérieusement les effets de la fatigue. Mais en dépit du confort de la Mercedes, elle ne parvenait pas à se détendre. Comment le pourrait-elle, alors que Marcus était assis à côté d'elle ?

La route grimpa en lacets pendant un moment avant de redescendre vers la mer. En contrebas, Lucy aperçut les lumières des villas qui parsemaient la colline, puis celles du petit port. Une vraie vision de carte postale !

Le chauffeur tourna dans un passage voûté, taillé dans la roche, qui débouchait sur une cour pavée.

Quelques secondes plus tard, Lucy et Marcus pénétraient dans un petit hall qui embaumait le jasmin. Le sol dallé et les murs blancs égayés de tableaux et de tissages aux couleurs vives évoquaient un intérieur majorquin traditionnel.

— Si vous voulez bien suivre José, il va vous conduire à vos suites.

Avec un large sourire, le réceptionniste tendit à Marcus deux cartes magnétiques, tandis qu'un jeune Majorquin surgissait de nulle part et prenait leurs bagages avant de les guider vers l'ascenseur, discrètement dissimulé dans un renfoncement. Une fois dans la cabine, il annonça avec une fierté manifeste :

— Vous avez les meilleures suites de l'hôtel. Le roi d'Espagne lui-même y a séjourné en famille.

La cabine s'immobilisa au dernier étage. Lucy descendit la première et son regard fut attiré par les toiles accrochées aux murs blancs. C'étaient manifestement des œuvres de grande qualité qui méritaient qu'on leur accorde une grande attention, mais elle les contemplerait plus tard. La douleur lancinante qui lui vrillait le crâne devenait insupportable. Elle avait désespérément besoin d'un café...

Deux portes seulement donnaient sur le palier. José ouvrit la première et s'effaça devant Lucy.

Le souffle coupé, elle pénétra dans une pièce immense, dont la hauteur sous plafond était impressionnante. Au milieu, trônait un magnifique lit à baldaquin.

Quand José releva les grands stores de bois, Lucy laissa échapper un cri extasié en découvrant une immense baie vitrée, qui ouvrait sur une terrasse donnant sur la mer.

— Merci, José, dit-elle en tendant un pourboire au jeune homme afin qu'il puisse conduire Marcus à sa suite.

Une fois seule, elle décrocha aussitôt le téléphone pour commander du café. A présent, elle pouvait poursuivre la visite de la suite, songea-t-elle avec satisfaction.

Une simple cloison de bois escamotable séparait la chambre de la salle de bains. Devant la baie vitrée, une énorme baignoire ronde encastrée dans le sol permettait de prendre son bain tout en admirant la vue.

Dans l'angle des murs, entièrement tapissés de miroirs, était aménagée une cabine de douche aux parois transparentes.

Elle entendit des coups frappés à la porte. « Enfin, du café ! » songea-t-elle aussitôt avec soulagement.

— Entrez !

A sa grande surprise, ce fut Marcus qui pénétra dans la pièce.

— Tiens, je t'ai apporté ta clé, dit-il en lui tendant une carte magnétique. Je vais téléphoner à Beatrice et prendre rendez-vous avec elle pour demain. Ce soir, que dirais-tu de dîner sur le port ? Il est 20 heures. Veux-tu que je réserve une table pour 22 heures ?

— Oui, parfait, acquiesça-t-elle en voyant arriver avec soulagement un garçon d'étage.

Dix minutes plus tard, ayant bu son café avec délectation, Lucy visita le reste de sa suite.

En plus de la chambre et de la salle de bains, celle-ci comportait un dressing indépendant et une salle de douche équipée d'un lavabo et d'un bidet.

Mais pas question de résister à la tentation d'essayer la baignoire, décida-t-elle.

Allongée dans un bain moussant délicatement parfumé, un coussin gonflable sous la nuque, Lucy ferma les yeux avec un soupir d'aise. Elle avait laissé les volets ouverts afin de profiter de la vue, mais elle n'avait pas le courage de relever la tête. Tant pis… Elle aurait tout le temps de l'admirer demain, en plein jour.

Quel plaisir de se prélasser dans l'eau chaude ! Ce café lui avait fait le plus grand bien. Sa migraine régressait peu à peu et elle se sentait parfaitement détendue.

Au bout d'un moment, elle ouvrit les yeux. En tournant légèrement la tête, elle pouvait se voir dans les miroirs qui tapissaient le mur. Avoir la possibilité de s'observer dans son bain avait quelque chose d'incroyablement sensuel. Dommage qu'elle soit seule… Cette suite était sans nul doute destinée à des amants.

Elle fut parcourue d'un long frisson. Il n'y avait qu'un seul homme dont elle voulait pour amant. L'homme de sa vie. Le seul qu'elle avait jamais désiré…

Marcus.

Sa suite était-elle identique à la sienne ? Etait-il lui aussi allongé dans sa baignoire, entièrement nu sous la mousse ? Quelle idée excitante...

Cependant, il devait être du genre à préférer les douches aux bains. Dire qu'il n'avait fait aucune allusion à leur nuit d'amour...

Fermant de nouveau les paupières, Lucy agita doucement l'eau de la main en imaginant que Marcus entrait dans la baignoire. Il s'apprêtait à s'allonger près d'elle et à et la caresser... Une chaleur intense l'envahit tout entière. Stop ! Mieux valait éviter de rêver. Elle rouvrit les yeux mais ne put s'empêcher de les refermer aussitôt...

Tout à coup, elle se redressa d'un bond. Seigneur ! Elle s'était assoupie ! Et il était déjà plus de 21 heures ! Elle se leva et sortit de la baignoire.

Au moment où elle tendait la main vers un épais drap de bain délicieusement moelleux, le miroir lui renvoya son reflet. Des paquets de mousse glissaient lentement le long de son corps, masquant et dévoilant tour à tour le triangle de sa féminité.

Allons bon... Elle était presque aussi excitée que si c'étaient les doigts de Marcus qui se promenaient sur sa peau ! Elle posa une main hésitante sur la toison soyeuse et en écarta la mousse.

Fascinée par son reflet dans le miroir, elle glissa un doigt jusqu'à sa fleur humide, tandis que les battements de son cœur s'accéléraient. Au même instant, elle entendit un bruit confus. Une porte qui s'ouvrait, peut-être...

Une porte qui s'ouvrait ? Retirant vivement sa main, elle saisit le drap de bain et s'en couvrit maladroitement. Le visage en feu, elle aperçut le reflet de Marcus dans le miroir. Debout au milieu de la chambre, il l'observait.

Elle réprima un gémissement. Pourquoi n'avait-elle pas tiré la cloison qui séparait la salle de bains de la chambre ? Depuis combien de temps était-il là ? Qu'avait-il vu exactement ?

Derrière lui, elle aperçut une porte entrouverte, qu'elle n'avait pas remarquée jusque-là. Sans doute leurs deux suites communiquaient-elles. Il avait dû frapper, mais elle ne l'avait pas entendu. Et pour cause… Quelle horreur ! Qu'allait-il penser d'elle ? Elle sentit ses joues s'enflammer de plus belle.

— Tu en as encore pour longtemps ? demanda-t-il, le visage impassible. Il est presque 21 h 30.

Il s'était changé, constata-t-elle malgré sa confusion. Il portait un pantalon de toile beige et un polo vert foncé.

— J'arrive, répondit-elle avant de se précipiter dans le dressing.

Quelques minutes plus tard, ils montaient dans l'ascenseur.

— Le chemin qui descend directement au port par la colline est très escarpé, déclara Marcus. Il vaut mieux passer par la route. J'ai réservé une voiture avec chauffeur.

Lucy baissa les yeux sur ses sandales. C'étaient les mêmes qu'hier. Elle en avait perdu une dans l'escalier chez Marcus et l'avait retrouvée soigneusement rangée à côté de l'autre ce matin, à proximité de ses vêtements, se souvint-elle avec un pincement au cœur. Les talons aiguilles démesurés n'étaient vraiment pas pratiques, mais la robe qu'elle portait allait parfaitement avec.

Comme il fallait s'y attendre, le port minuscule était entièrement occupé par de luxueux yachts. Les terrasses des restaurants qui le bordaient étaient envahies par une foule élégante, respirant l'opulence. On avait l'impression de se trouver à « Notting Hill-sur-mer », songea Lucy avec dérision. Après avoir parcouru seulement quelques mètres, elle avait déjà aperçu une demi-douzaine de visages célèbres…

— Connaissant ton goût pour le poisson, j'ai réservé dans un restaurant dont c'est la spécialité, annonça Marcus. J'ai pensé que tu préférerais ça à un bar à tapas traditionnel.

64

— C'est une excellente idée.

Bien évidemment, il avait réussi à obtenir la meilleure table de la terrasse, pensa Lucy en s'asseyant. Et la cuisine était succulente, constata-t-elle quelques minutes plus tard en dégustant des pétoncles poêlés accompagnés d'une terrine de légumes.

— Veux-tu du vin ? demanda Marcus, qui avait choisi un steak de thon.

Elle secoua la tête. Pas question de réveiller sa migraine... En revanche, elle accepta avec empressement quand le serveur leur proposa du café à la fin du repas.

— Un espresso à cette heure tardive ? s'étonna Marcus après le départ de ce dernier. Tu ne vas jamais réussir à dormir.

— Mais si, tu verras ! rétorqua-t-elle étourdiment.

A peine ces mots eurent-ils quitté ses lèvres qu'elle devint écarlate. Quelle idiote ! Il allait s'imaginer qu'elle lui faisait des avances !

— A quelle heure avons-nous rendez-vous avec Beatrice, demain ? demanda-t-elle en s'efforçant de prendre un air dégagé.

— Nous la retrouverons sans doute pour le déjeuner. Je dois la rappeler demain matin.

Quand le serveur revint avec le café, Marcus demanda l'addition.

Pas question de reprendre un bain après ce qui s'était passé avant le dîner, décida Lucy en verrouillant la porte de sa suite et en ôtant ses sandales. Mieux valait opter pour une douche.

Elle se dévêtit en bâillant à se décrocher la mâchoire. C'était tout de même curieux... Etant donné ce qui s'était passé la nuit précédente et le fait que Marcus l'ait peut-être surprise quelques heures plus tôt dans une attitude pour le moins embarrassante, elle aurait dû avoir les nerfs à vif toute la soirée. Or elle s'était rarement sentie aussi détendue. Elle s'était même franchement amusée et avait éclaté de rire à plusieurs reprises.

Il fallait reconnaître que Marcus s'était révélé particulièrement charmant. Dommage que la soirée soit déjà terminée... Elle se serait volontiers attardée à table en sa compagnie. Et elle aurait encore plus volontiers poursuivi leur tête-à-tête dans son lit, bien sûr...

Après avoir rangé ses affaires, elle gagna la salle de bains pour prendre sa douche.

Elle venait juste de se sécher et d'enfiler son peignoir quand elle entendit frapper à la baie vitrée. Son cœur se mit à battre la chamade. Marcus lui faisait signe !

Comme elle, il avait revêtu le peignoir en éponge fourni par l'hôtel. Cependant, ce dernier lui couvrait à peine les genoux, alors que le sien lui arrivait aux chevilles... Elle déglutit péniblement. Comment était-il arrivé jusque-là ? Que voulait-il ?

S'efforçant d'ignorer le trouble qui l'envahissait, elle fit coulisser la vitre tout en resserrant autour d'elle les pans de son peignoir. La terrasse était commune aux deux suites, comprit-elle tout à coup : Marcus arrivait directement de sa chambre.

— Qu'y a-t-il ? demanda-t-elle d'une voix étranglée.

Sans un mot, il la prit par le bras et l'entraîna vers la balustrade.

— Regarde.

— Oh ! Un feu d'artifice ! s'exclama-t-elle avec émerveillement devant les gerbes d'étincelles multicolores qui fusaient dans le ciel.

— Je me suis souvenu que tu adorais ça, déclara-t-il en souriant.

Vraiment ? Aussitôt, Lucy se sentit surprise et touchée.

— C'est magique, murmura-t-elle avec émotion. On dirait des bulles de champagne qui jaillissent de bouteilles invisibles et éclaboussent le ciel. Tu ne trouves pas que le bruit évoque celui de bouchons qui sautent ?

Marcus se tourna vers elle sans répondre. Elle avait la mine éblouie d'une enfant. Mais c'était une femme. Une femme sensuelle qu'il brûlait de prendre dans ses bras…

De plus en plus troublée, Lucy sentait la chaleur qui émanait du corps de Marcus se propager dans le sien. Comme il était tentant de céder à cette irrésistible envie de se laisser aller contre lui… Elle réprima un long frisson. Le feu d'artifice qui illuminait le ciel semblait faire écho au désir qui l'embrasait tout entière…

Une gerbe rouge et or explosa en mille flammèches qui retombèrent lentement vers la mer en s'effilochant avant de s'éteindre.

— Oh, comme c'est beau…

Sans réfléchir, elle se retourna vers Marcus. Hypnotisée par sa bouche, elle retint son souffle. Seigneur ! Comme elle avait envie de lui…

— Je… je ferais mieux de rentrer, déclara-t-elle d'une voix mal assurée en s'écartant vivement.

Il fallait prendre la fuite au plus vite, sinon elle allait finir par se conduire aussi stupidement qu'hier…

Dans sa précipitation, elle ne se rendit pas compte que Marcus la suivait dans sa chambre. Quand elle s'en aperçut, il était trop tard. Il refermait déjà la baie vitrée derrière lui…

La gorge sèche, les jambes tremblantes, elle le regarda s'avancer vers elle, pétrifiée.

Sans un mot, il lui prit la main et l'entraîna vers le mur tapissé de miroirs. A l'endroit précis où elle se tenait quelques heures plus tôt, entièrement nue, après être sortie de son bain…

67

Etait-ce une façon subtile de lui faire comprendre qu'il l'avait surprise ?

Au comble de la confusion, elle crut que ses genoux allaient se dérober sous elle. Mais au même instant, il l'attira contre lui et l'embrassa avec fougue. Nouant les bras sur sa nuque, elle répondit à son baiser avec ardeur.

Lui ôtant son peignoir, il s'arracha à ses lèvres et la fit pivoter légèrement pour la placer devant lui, face au miroir. Plongeant son regard dans le sien, il se mit à lui caresser les seins tout en lui mordillant le lobe de l'oreille.

Envahie par des sensations inouïes, Lucy laissa échapper un petit cri étranglé, à la fois choquée et terriblement excitée par le reflet de son corps nu, frémissant sous les mains de Marcus. Jamais elle n'avait ressenti un désir d'une telle intensité ! Elle brûlait d'envie qu'il mêle son corps au sien, ici et maintenant… Qu'il la saisisse par les hanches et s'enfonce au plus profond d'elle, devant ce miroir…

Alors qu'il effleurait du bout des doigts les pointes hérissées de ses seins tout en parsemant son cou de baisers, elle se mit à onduler contre lui en gémissant.

Il promena une main sur son ventre, puis poursuivit sa descente vers son triangle soyeux. Ses doigts l'explorèrent avec une habileté diabolique, avant de plonger dans le cœur brûlant de sa féminité.

Se mordant la lèvre pour s'empêcher de crier, Lucy ne parvenait pas à détacher les yeux de leur reflet dans le miroir. Sans cesser de la caresser, Marcus lui mordillait la nuque. Le mouvement de ses doigts s'accéléra peu à peu, jusqu'au moment où elle fut propulsée au sommet de la volupté.

Haletante, elle avait l'impression de flotter dans une autre dimension. Tout son corps irradiait de plaisir. Cependant, celui-ci ne serait pas complet tant qu'elle ne l'aurait pas partagé avec Marcus, songea-t-elle confusément en sentant des bras puissants la soulever de terre.

Il la déposa sur le lit et enleva son peignoir. Délivrée de toute inhibition, elle referma une main sur sa virilité pleinement éveillée.

Quel bonheur de sentir frémir sous ses doigts la preuve flagrante de son désir pour elle...

6.

Lucy tourna la tête et eut un sourire attendri. La tête de Marcus avait laissé un creux sur l'oreiller voisin du sien. Elle en suivit le contour du bout des doigts. Quelle nuit extraordinaire... Mais le plus merveilleux avait été de s'endormir dans ses bras. Elle s'était réveillée à plusieurs reprises au cours de la nuit, uniquement pour le plaisir de sentir son corps contre le sien et de respirer son odeur.

Pourtant, elle avait encore du mal à croire qu'elle n'avait pas rêvé. Par quel miracle Marcus avait-il eu envie de renouveler l'expérience de la nuit précédente ? Elle n'en avait aucune idée.

Cependant, il ne fallait pas se faire d'illusions. Nul doute que cette aventure n'était pour lui qu'une passade. Et le jour où il y mettrait fin, elle serait anéantie par la souffrance.

Car malheureusement, ce n'était pas une brève liaison qu'elle voulait avec Marcus. C'était un amour absolu qui dure la vie entière...

L'euphorie du réveil fut soudain balayée par un profond désespoir. La gorge nouée, Lucy enfouit le visage dans son oreiller.

— Allons paresseuse, réveille-toi ! J'ai commandé le petit déjeuner et nous serons servis dans quelques minutes.

Marcus ! Lucy se redressa d'un bond, refoulant ses larmes.

70

Puis, écarlate, elle saisit le drap pour se couvrir la poitrine. Une lueur amusée s'alluma dans les yeux de Marcus. Il s'assit à côté d'elle, abaissa délicatement le drap et se pencha sur elle pour embrasser tour à tour les deux pointes de ses seins.

— Mmm… Je ferais peut-être mieux de téléphoner pour demander qu'on nous apporte le petit déjeuner un peu plus tard.

— Oh oui, approuva-t-elle, oubliant ses angoisses.

Mais au même instant, on frappa à la porte et elle saisit de nouveau le drap pour se couvrir.

— Je vais leur demander de passer par ma suite pour déposer les plateaux sur la terrasse, proposa Marcus en se levant pour baisser les stores. Mais ne t'avise surtout pas de te rendormir.

Se rendormir ! C'était bien la dernière chose dont elle avait envie !

— J'étais sur le point de venir te chercher, déclara Marcus dix minutes plus tard, quand elle le rejoignit enfin sur la terrasse. Je t'ai commandé du café. Ainsi que des œufs pochés avec des tomates et des champignons. Il y a aussi des toasts.

— Tout ça ? Du café suffira à mon bonheur, répliqua-t-elle avec un regard gourmand vers la cafetière.

Quand Marcus l'eut servie, elle huma avec délectation l'arôme délicieux qui se dégageait de sa tasse.

— Le matin, le corps a besoin de protéines, affirma-t-il d'un ton ferme. Il ne peut pas fonctionner convenablement s'il en est privé.

— Merci pour cette information, docteur Atkins, répliqua-t-elle avec une moue boudeuse avant de boire une gorgée de café.

Cependant, il fallait reconnaître que les œufs étaient appétissants. Du bout des doigts, elle prit un champignon dans l'assiette de Marcus.

— Mange, ordonna-t-il. Dès que nous aurons fini le petit déjeuner, j'appellerai Beatrice.

En fin de compte, elle était affamée, reconnut intérieurement Lucy en savourant ses œufs.

— Mais d'abord, j'ai quelque chose à te dire, ajouta-t-il au bout de quelques minutes.

L'estomac noué, Lucy sentit son appétit l'abandonner. Marcus allait lui confirmer ce qu'elle savait déjà. Leur aventure n'était qu'une brève parenthèse…

— Nous devrions nous marier, Lucy.

Elle faillit s'étrangler. C'était sûrement une plaisanterie…

— Ensemble ?

— Bien sûr.

— Mais… Marcus… pourquoi ? Pourquoi est-ce que tu… nous… ? Je veux dire… tu ne m'as jamais particulièrement aimée ! finit-elle par s'exclamer, trop abasourdie pour ne pas exprimer le fond de sa pensée.

— Je pense que nous formerions un couple parfait.

Lucy but une grande gorgée de café. Il n'avait pas dit qu'il l'aimait bien. Et encore moins qu'il l'aimait tout court…

— Nous appartenons au même milieu et nous avons sans doute la même conception de la vie, poursuivit-il. Je suppose que tu veux des enfants et que, malgré ton divorce, tu considères le mariage comme un engagement définitif. C'est en tout cas mon point de vue. Je veux être certain que tu le partages. Si nous nous mariions, ce sera pour fonder une famille et il ne sera pas question de rompre nos serments.

— Mais…

— Mais quoi ? Après tout, les deux nuits que nous avons

72

passées ensemble ont largement prouvé que sur le plan sexuel, nous nous entendions de manière exceptionnelle.

— Ce n'est pas une raison suffisante pour se marier ! Tu ne peux pas envisager de m'épouser uniquement à cause de ça !

— J'ai d'autres raisons, en effet.

— Lesquelles ?

— J'aurai trente-cinq ans en décembre. Tous les hommes de ma famille — mon père, mon grand-père, mon arrière-grand-père et tous mes ancêtres— se sont mariés avant cet âge. C'est une tradition familiale et je n'ai pas l'intention d'y déroger.

La gorge de Lucy se noua. De toute évidence, si elle refusait sa proposition, il chercherait une autre femme prête à l'accepter. Et il n'aurait aucun mal à la trouver…

Serait-elle capable de se marier avec Marcus tout en sachant qu'il ne l'aimait pas ? Etant donné les sentiments qu'elle éprouvait pour lui, ce serait une souffrance difficilement supportable. Cependant, ne serait-il pas encore plus douloureux de le laisser épouser une autre femme ?

— Par ailleurs, étant donné que nous n'avons utilisé aucun moyen de contraception, il est possible que tu sois enceinte, rappela Marcus avec le plus grand naturel. Je sais à quel point tu aimes les enfants, Lucy. Mais je ne pense pas que tu souhaites devenir une mère célibataire… Et de toute façon, si j'ai un enfant, il est hors de question que je ne partage pas sa vie. Dans cette hypothèse, il serait donc beaucoup plus raisonnable de nous marier.

« Raisonnable » ! Le cœur de Lucy se serra douloureusement. Elle n'avait aucune envie de faire un mariage de raison. La seule chose dont elle rêvait, c'était un mariage d'amour…

Certes. Mais Marcus ne l'aimait pas. Comme Nick. Et son mariage avec ce dernier avait été catastrophique.

Non, elle ne pouvait pas épouser Marcus. Toutefois, elle ne pouvait pas non plus le laisser épouser une autre femme…

Et Marcus n'était pas du tout le même genre d'homme que Nick. Il avait le sens de l'honneur. S'il disait considérer le mariage comme un engagement définitif, elle pouvait le croire. Or son rêve le plus cher n'était-il pas de passer sa vie avec lui ?

Après tout, l'amour pouvait très bien naître par la suite. D'autant plus que Marcus la désirait. Contrairement à son ex-mari, il aimait faire l'amour avec elle…

— Marcus, si nous devions… devenir un couple, ne crois-tu pas que les gens risquent de s'étonner et de poser des questions ?

Il haussa les sourcils.

— Je ne vois pas pourquoi. Mais s'ils se montraient trop curieux, je leur dirais simplement que j'ai toujours eu l'intention de t'épouser et qu'après m'être fait coiffer au poteau par Blayne, je n'ai pas voulu renouveler cette erreur.

Lucy s'efforça de refouler les larmes qui perlaient à ses paupières. Si seulement c'était vrai…

— Alors, acceptes-tu ma proposition ? insista-t-il. Je pense sincèrement que notre mariage serait un succès.

— Je… je ne sais pas. Je suis si surprise. Tout est si confus dans mon esprit…

Elle qui rêvait d'amour ! Jamais elle n'aurait pu imaginer demande en mariage moins romantique, songea-t-elle avec tristesse. Marcus parlait avec le même détachement que s'il négociait un contrat.

Certes. Cependant, l'imaginer en train de faire la même proposition à une autre femme était encore plus déstabilisant… Elle prit une profonde inspiration.

— Je… J'accepte.

— Parfait. Je suis ravi que nous soyons d'accord. Bien sûr,

nous n'annoncerons pas nos fiançailles avant que j'aie parlé à ton père. Je le ferai dès notre retour à Londres. Ensuite seulement, nous pourrons choisir ta bague.

Lucy fut prise de vertige. Etait-elle réellement en train de vivre cette scène ? Prenait-elle vraiment le petit déjeuner avec Marcus après une nuit d'amour, tout en discutant de leur mariage et de sa bague de fiançailles ?

— Nous sommes presque en octobre, poursuivit-il. Mon anniversaire tombant début décembre, j'aimerais si possible que nous soyons mariés avant. Juste une cérémonie très simple… Si tu es d'accord, bien entendu.

— Oui, bien sûr. Un simple mariage civil…

— Non. Je préférerais un mariage religieux. Après tout, nous comptons tous les deux nous engager pour la vie. Et puisque tu ne t'es pas mariée à l'église avec Blayne, rien ne s'oppose à ce que nous nous puissions nous marier religieusement. Que dirais-tu du Brompton Oratory ? Je suppose que tu voudras partir de chez tes parents. Or ils habitent à proximité…

Lucy avait de plus en plus de mal à croire à ce qui lui arrivait. Marcus voulait qu'ils se marient à l'Oratory ? L'église somptueuse dont rêvaient toutes les fiancées de la haute société — et leurs mères ?

Il consulta sa montre et déclara :

— Il est temps de nous préparer.

Ils se levèrent en même temps. Prise d'une soudaine impulsion, Lucy posa la main sur le bras de Marcus et déposa un baiser léger sur ses lèvres fermes et sensuelles.

Puis elle s'écarta aussitôt, les joues en feu.

Marcus l'observa à travers ses paupières baissées. Les réactions que la jeune femme provoquaient en lui étaient pour le moins perturbantes… Certes, leur attirance mutuelle serait le ciment de leur mariage et le gage de sa réussite. Toutefois, il n'avait aucune envie de se laisser submerger par son désir pour elle. Or il fallait bien reconnaître que ce risque existait.

Peut-être. Mais mieux valait ne pas se montrer trop distant avec elle. Après tout, elle venait d'accepter de l'épouser et il n'avait aucune envie qu'elle change d'avis…

Sans un mot, il l'attira contre lui.

Aussi surprise que ravie, Lucy fut parcourue d'un long frisson. Quel plaisir de le voir répondre avec tant de spontanéité à son geste… Quel délice de sentir ses mains se glisser sous son peignoir !

Se plaquant contre lui, elle constata avec une émotion infinie que son désir pour elle était indéniable. Laissant échapper un gémissement, elle se mit à onduler lascivement contre lui. Mais tout à coup, leur rendez-vous avec Beatrice lui revint à la mémoire.

— Tu as dit que nous devions nous préparer pour rejoindre ta sœur, rappela-t-elle d'une voix étouffée en s'arrachant à ses lèvres.

— Au diable ma sœur ! répliqua-t-il en s'emparant de nouveau de sa bouche.

Mais quelques instants plus tard, il finit par la relâcher.

— Tu as raison, murmura-t-il d'un ton plein de regret. Nous ferions mieux de nous préparer.

Marcus et elle allaient se marier ! C'était incroyable… Dans la voiture de l'hôtel, Lucy ne parvenait pas encore à y croire.

Lorsque le chauffeur les déposa à Palma, elle s'étonna.

— Je croyais que nous allions chez Beatrice.

— Elle préférait déjeuner au restaurant. Viens, c'est à deux pas.

Connaissant le raffinement de la sœur aînée de Marcus,

76

Lucy avait choisi une tenue relativement habillée. Elle avait bien fait, songea-t-elle en constatant qu'ils se dirigeaient vers l'un des établissements les plus chic de la ville, fréquenté par une clientèle aisée, composée à la fois de majorquins et d'étrangers.

Avec sa jupe de lin blanc, son corsage vert d'eau à fines bretelles et sa veste de coton blanc à encolure asymétrique, Lucy se sentit parfaitement à l'aise en arrivant sur la terrasse, où les femmes rivalisaient d'élégance.

— De toute évidence, Beatrice n'est pas encore arrivée, mais nous pouvons nous installer et l'attendre à table. A moins que tu préfères prendre un verre au bar ? proposa Marcus.

— Non, installons-nous à table.

S'imaginait-il qu'elle ne pouvait pas tenir plus de vingt-quatre heures sans boire d'alcool ? se demanda-t-elle. Il fallait absolument lui prouver que ce n'était pas le cas. La caféine était sa seule drogue...

Dix minutes plus tard, la sœur de Marcus pénétra dans le restaurant. Grande et brune comme son frère, elle était vêtue d'un pantalon de lin noir et d'un polo de coton grège. De grandes lunettes de soleil perchées sur le sommet de son crâne retenaient son épaisse chevelure.

— Je suis désolée d'être en retard ! s'exclama-t-elle en se précipitant vers eux.

— Nous n'avons pas encore commandé, Bea. Veux-tu quelque chose à boire ? demanda Marcus.

— Oh, oui... Un spritzer, s'il te plaît. Je suis venue en voiture. C'est pour ça que je suis en retard. J'ai eu un mal fou à trouver une place ! Quel temps fait-il à Londres ? Quand j'ai eu maman au téléphone l'autre jour, elle m'a dit qu'il n'arrêtait pas de pleuvoir. De toute façon, je vais être obligée de rester ici un bon moment. Ce maudit plombier vient de m'annoncer qu'il fallait un délai supplémentaire pour obtenir les carreaux que nous avons commandés ! Si bien que quand Boffy et Izzy viendront pour les vacances nous n'aurons qu'une seule salle de bains...

Beatrice se tourna vers Lucy.

— Tout est excellent, ici, mais il serait dommage de ne pas prendre de poisson, bien sûr.

Décidément, la sœur de Marcus méritait plus que jamais sa réputation de bavarde invétérée, songea Lucy en réprimant un sourire. Elle parlait toujours autant et elle avait le don de passer brutalement du coq à l'âne...

On leur apporta les menus et Beatrice continua son monologue pendant qu'ils choisissaient leurs plats.

— As-tu des suggestions pour l'anniversaire de George, Beatrice ? demanda Lucy quand le serveur eut pris la commande.

— Eh bien, il a un faible pour les châteaux et je me demandais s'il serait possible d'en louer un quelque part. Qu'en penses-tu ?

— Bien sûr, pourquoi pas ?

Un château ? songea Lucy avec perplexité. Beatrice ne voulait pas organiser l'anniversaire dans sa maison de Majorque ? Quelque chose lui échappait...

Le serveur arriva avec leurs plats. Elle avait rarement eu aussi faim, songea Lucy, l'eau à la bouche. C'était sans doute une conséquence de sa nuit d'amour avec Marcus... Elle s'empourpra, assaillie par une foule d'images audacieuses.

— Mon Dieu, Lucy, tu es toute rouge ! s'exclama Beatrice. Est-ce que ça va ? Il faut dire qu'il fait chaud, ici... Ecoute, de toute façon, nous discuterons de l'anniversaire de George quand je serai rentrée à Londres. Après tout, j'ai encore plusieurs mois pour y réfléchir. Et pour l'instant, ces maudits travaux me préoccupent tellement que je n'arrive pas à penser à autre chose.

Quand ils eurent terminé leurs plats, Marcus demanda à Lucy si elle voulait un dessert.

— Non, merci. En revanche, je prendrais bien un espresso.

— Un espresso ? Lucy, ma chère, est-ce bien raisonnable ? intervint Beatrice. Tu ne crains pas que la caféine t'excite ? Pour ma part, j'évite de boire trop de café, sinon je me transforme en moulin à paroles !

Obligée de se mordre la lèvre pour ne pas rire, Lucy jeta un coup d'œil discret à Marcus. Visiblement aussi amusé qu'elle, il lui adressa un petit sourire malicieux. Elle fut submergée par une joie immense. Quel bonheur de partager un instant de complicité avec lui !

Elle avait eu raison d'accepter sa proposition. Jamais elle ne s'était sentie aussi légère… Elle avait le sentiment que tout était possible. Un jour, Marcus l'aimerait peut-être autant qu'elle l'aimait.

— J'ai hâte de téléphoner à maman pour lui dire que j'ai déjeuné avec vous deux, déclara Beatrice quelques minutes plus tard quand ils la raccompagnèrent à sa voiture.

Elle serra Lucy dans ses bras en l'embrassant affectueusement avant d'ajouter d'un air entendu :

— Elle va être ravie. Elle a toujours eu un faible pour toi…

Après son départ, Lucy se tourna vers Marcus.

— Je pense que ta sœur a deviné… ce qui se passe entre nous.

— Oh, telle que je la connais, elle est même sans doute convaincue qu'elle se doutait de quelque chose depuis longtemps ! Mais il n'y a aucune raison de s'en plaindre. Au contraire. Elle va s'en vanter auprès de tout le monde, si bien que notre mariage paraîtra moins précipité. Pour l'instant, que dirais-tu de faire un tour ? Le chauffeur ne viendra nous chercher que dans une heure.

— Avec plaisir.

Quelques minutes plus tard, Marcus s'arrêtait devant la vitrine d'une luxueuse joaillerie.

— Vois-tu quelque chose qui te plaît ?

— Mais… tu as dit que tu voulais attendre d'avoir parlé à mon père pour choisir la bague ! s'exclama-t-elle avec surprise.

— Oui, en effet. Et je n'ai pas changé d'avis. Mais tu viens d'accepter de devenir ma femme et j'aimerais célébrer notre engagement par un présent plus personnel… Une paire de boucles d'oreilles, peut-être ? Celles-ci te plairaient-elles ?

Il indiqua une paire de dormeuses en diamant, qu'elle avait déjà repérées.

— Tu n'es pas obligé de me faire un cadeau, protesta-t-elle, embarrassée.

— C'est vrai. Rien ne m'y oblige, acquiesça-t-il en ouvrant la porte de la boutique. Mais j'en ai envie.

Marcus expliqua ce qu'ils souhaitaient au jeune homme qui les accueillit. Ce dernier les conduisit dans un petit salon, où il les invita à s'asseoir devant une table, dans des fauteuils confortables.

— Désirez-vous boire quelque chose ? Eau, café ?

— Oh, oui, je veux bien un café, s'il vous plaît, acquiesça Lucy, ignorant le froncement de sourcils de Marcus.

Le jeune homme revint quelques secondes plus tard avec une tasse de café. Un homme plus âgé l'accompagnait.

— Vous avez un goût très sûr, *señora*, déclara ce dernier avec un sourire approbateur.

Il étala une bande de velours sur la table et y déposa les boucles d'oreilles.

— Ces diamants sont de la plus belle eau et ils sont montés sur platine.

Ils coûtaient donc une fortune, se dit Lucy en y renonçant aussitôt.

— Ils sont magnifiques, en effet, mais…

— Essaie-les, coupa Marcus.

Elle les mit, puis se regarda dans le miroir que lui tendit le vendeur. Les pierres étincelaient de mille feux.

— Excusez-moi un instant, murmura le vendeur avant de quitter la pièce.

— Marcus, je ne veux pas de ces boucles, dit Lucy dès qu'ils furent seuls.

— Pourquoi ? Elles ne te plaisent pas ? Pour ma part, je trouve qu'elles te vont à merveille.

— Elles sont splendides. Mais ce n'est pas le problème.

— Non ? Alors quel est le problème ?

— Leur prix, bien sûr !

Marcus la considéra avec perplexité. A en juger par le pli qui creusait son front et l'inquiétude qui assombrissait son regard, Lucy était sincère. C'était bien la première femme de sa connaissance qui refusait un bijou parce qu'elle craignait qu'il soit trop cher !

— Nous prenons les boucles, annonça Marcus au vendeur, qui revenait, un écrin à la main.

L'homme eut un large sourire.

— Vous ne regretterez pas cet achat, *señor*. Je peux vous l'assurer. Ces diamants prendront de la valeur avec le temps. J'ai pensé que vous aimeriez peut-être voir aussi ce bracelet, dont les pierres, montées sur platine et or blanc, sont également d'une qualité exceptionnelle. C'est un modèle de style moderne, mais très raffiné.

Il sortit le bijou de son écrin pour le leur montrer.

Lucy eut le souffle coupé. Ce bracelet était d'une élégance suprême. La sobriété de la monture mettait en valeur la beauté des trois diamants qui y étaient incrustés.

— Essaie-le, dit Marcus.

— Non, répliqua-t-elle en se levant.

Elle était elle-même surprise par sa détermination.

— Il est effectivement magnifique, ajouta-t-elle à l'intention du vendeur. Mais je ne porte pas beaucoup de bijoux. Les boucles d'oreilles me suffisent amplement.

Sans plus attendre, elle quitta le salon, puis attendit à l'écart de la caisse que Marcus règle son achat. Quand ils sortirent dans la rue inondée de soleil, elle accorda automatiquement son pas au sien et dut se retenir pour ne pas lui prendre le bras. Constatant que de son côté il n'en faisait rien, elle eut un pincement au cœur.

— Merci, Marcus, dit-elle en s'efforçant de surmonter sa déception.

— Je suis ravi que ces boucles te plaisent. Si nous regagnions le centre, à présent ? Notre voiture sera là dans quelques minutes.

C'était une excellente nouvelle, songea-t-elle aussitôt. Car elle n'avait qu'une envie : se retrouver en tête à tête avec Marcus… Le feu qui couvait en elle depuis qu'il l'avait embrassée sur la terrasse, après le petit déjeuner, gagnait à chaque instant en intensité. Bientôt, il lui serait impossible de le contenir…

— Si nous dînions sur la terrasse, ce soir ? demanda Marcus quand ils arrivèrent dans la suite. A moins que tu ne préfères sortir ?

— Dîner sur la terrasse est une merveilleuse idée, répliqua Lucy avec sincérité.

— Etant donné que nous repartons demain matin à Londres, nous pourrions peut-être profiter de cette soirée pour discuter de l'avenir. Le nôtre, bien sûr, mais également celui de *Clé en main*.

Clé en main ! Depuis qu'elle était montée dans l'avion en compagnie de Marcus, elle n'avait pas accordé une seule pensée à sa société ! constata Lucy avec stupéfaction.

— Oh, ne t'inquiète pas pour...

Elle se mordit la lèvre. Pour l'instant, elle ne pouvait pas annoncer à Marcus qu'elle avait trouvé une solution. Elle avait promis à Andrew Walker de n'informer personne de leurs projets.

— Sommes-nous vraiment obligés de parler de *Clé en main* ce soir ? demanda-t-elle. Je me disais que...

— Oui ?

— Que nous pourrions plutôt profiter de cette soirée pour... penser à nous, murmura-t-elle, les joues en feu.

— Justement. J'aimerais discuter de tous les détails pratiques que nous aurons à régler.

Lucy fut submergée par une profonde déception. Ce n'était pas du tout ce qu'elle avait à l'esprit...

— Quels détails pratiques ?

— Le choix de notre lieu de résidence, par exemple. J'avoue que j'aimerais continuer à habiter la maison de Wendover Square. Elle appartient à ma famille depuis près de deux cents ans et j'y suis très attaché.

— Je n'y vois aucun inconvénient. Elle est très agréable et le jardin est magnifique. Cependant, il faudrait refaire la décoration. Et puis, ajouta-t-elle avec un sourire malicieux, il manque dans la cuisine un accessoire indispensable à mon bonheur : une machine à espressos.

— Pas de problème pour la décoration. En revanche, la machine à espressos devra faire l'objet de négociations, répondit-il sur le ton de la plaisanterie.

Il consulta sa montre.

— Je vais aller dans ma suite pour passer quelques coups de téléphone, prendre une douche et me changer. Nous pourrions nous retrouver sur la terrasse à 19 h 30 et dîner à 20 heures. Qu'en dis-tu ?

— Parfait.

Allait-il l'embrasser avant de quitter la pièce ? se demanda Lucy, le cœur battant. A sa grande déception, il n'en fit rien.

Après avoir de nouveau commandé un café par téléphone, elle baissa les stores et tira la cloison qui permettait d'isoler la salle de bains du reste de la chambre. En attendant que son café arrive, une douche rapide lui ferait le plus grand bien…

Son café était arrivé, constata-t-elle en rouvrant la cloison quelques instants plus tard après s'être lavée, séchée et enduite de lotion parfumée.

Enveloppée dans un peignoir, elle se dirigea vers la table basse et vit un petit paquet-cadeau vert enrubanné d'or, à côté de la tasse.

Le ruban portait le nom du joaillier où Marcus avait acheté les boucles d'oreilles… Et le paquet contenait le bracelet que leur avait montré le vendeur ! De toute évidence, il l'avait acheté discrètement en même temps que les boucles d'oreilles. Il la gâtait beaucoup trop ! S'il pouvait se montrer aussi tendre que généreux…

Il la rejoignit quelques instants plus tard et suggéra qu'ils dînent en peignoir. Sans lui répondre, Lucy déclara :

— Tu n'aurais pas dû m'offrir le bracelet. Les boucles d'oreilles suffisaient largement.

— A propos, puis-je me permettre… ? demanda-t-il en sortant un petit écrin de la poche de son peignoir.

Pendant qu'il lui mettait les boucles d'oreilles, Lucy s'efforçait de réprimer le trouble qui l'envahissait. Seigneur ! Le sentir si près d'elle était un véritable supplice… Il fallait absolument qu'elle résiste à la tentation de se jeter sur lui.

Quand il eut terminé, elle retint son souffle. S'il l'aimait, il n'attendrait pas une seconde de plus pour l'embrasser… Ce serait un moment très spécial dont ils garderaient tous les deux un souvenir ému jusqu'à la fin de leurs jours.

Hélas, ce n'était qu'un rêve, songea-t-elle tristement alors qu'il s'écartait d'elle.

Mais alors qu'elle avait perdu tout espoir, il lui ôta son peignoir d'un geste vif et l'attira contre lui, capturant sa bouche avec fougue. Son cœur battait encore plus vite que le sien, constata Lucy, tout étourdie. Il cognait même si fort qu'elle avait l'impression de sentir ses coups contre sa propre poitrine…

Ce baiser incendiaire se prolongea un temps qui lui sembla infini. Puis, aussi soudainement qu'il s'était emparé de sa bouche, Marcus s'en arracha. Il contempla un moment le corps nu de Lucy, baigné par le clair de lune, puis il le couvrit longuement de caresses expertes avant de glisser la main entre ses cuisses. Vibrant de tout son corps, elle laissa échapper un long gémissement.

Se penchant sur ses mamelons dressés, il les mordilla tour à tour, tout en enfonçant un doigt au plus profond de sa féminité.

Haletante, emportée dans un tourbillon inexorable, Lucy crut défaillir de plaisir.

— Marcus… S'il te plaît… Je te veux en moi, supplia-t-elle d'une voix rauque qu'elle ne reconnut pas.

— Plus tard…

Quittant son sein pour ses lèvres, il mêla sa bouche à la sienne sans cesser de caresser le cœur brûlant de sa féminité avec une ardeur redoublée.

Renonçant à lutter contre la déferlante qui la submergeait, Lucy se laissa engloutir par l'extase.

7.

— Marcus, es-tu certain que nous ne commettons pas une erreur ? demanda Lucy, la gorge nouée, alors qu'ils venaient de rendre visite à ses parents.

Depuis leur retour à Londres, la nouvelle de leurs fiançailles avait déclenché un enthousiasme unanime, ce qui avait pour effet d'accroître la mélancolie de la jeune femme. Leurs proches semblaient tellement persuadés qu'ils vivaient un grand amour...

Ils se trouvaient dans le petit salon qui donnait sur le jardin. Sous les rayons du soleil d'octobre, qui inondait la pièce, sa bague de fiançailles brillait de mille feux.

Dans la prestigieuse bijouterie où Marcus l'avait emmenée dès le lendemain de leur arrivée, elle avait eu le coup de foudre pour ce diamant taillé en émeraude. Et quand à son tour, Marcus le lui avait montré en disant que c'était son préféré, son cœur s'était gonflé de joie. Elle y avait vu un heureux présage.

Malheureusement, si l'attirance qu'il éprouvait pour elle ne faisait aucun doute, il n'avait pas changé d'attitude à son égard et ne lui manifestait jamais la moindre tendresse.

— Pourquoi cette question ? demanda-t-il, les sourcils arqués. Etant donné les réactions de nos familles à l'annonce de nos fiançailles, il me paraît évident que nous avons pris la bonne décision.

86

Il se leva et se mit devant la fenêtre, lui tournant le dos. Lucy crispa les doigts sur sa tasse de café. De toute évidence, il n'avait aucune envie de poursuivre cette discussion… Mais c'était plus fort qu'elle. Il lui était impossible de ne pas exprimer ses doutes.

— Si nos familles sont si heureuses, c'est parce qu'elles pensent que… nous éprouvons des sentiments l'un pour l'autre, déclara-t-elle d'une voix hésitante. Ils ne connaissent pas la vérité. Or pour ma part, je ne suis pas certaine que… l'amour ne soit pas indispensable à la réussite d'un mariage.

— L'amour ?

Se retournant vers elle, Marcus secoua la tête, le visage fermé.

— Je ne comprends pas pourquoi la plupart des gens semblent accorder une telle valeur à l'amour ! C'est pourtant le plus souvent une source de malheur et d'échec. Tu es bien placée pour le savoir ! Ton mariage… *d'amour* avec Blayne a été un pur fiasco. Le nôtre, en revanche, reposera sur des bases beaucoup plus solides. Nous partageons le même désir de fonder une famille unie et nous avons tous les atouts pour y parvenir. Non seulement nous appartenons au même milieu social mais nous avons la chance de nous entendre à merveille sur le plan sexuel.

Lucy déglutit péniblement. Comme c'était déprimant de l'entendre parler ainsi de leur couple…

— Et si un jour tu tombes amoureux d'une autre femme, Marcus ?

— Tomber amoureux ?

Visiblement ébahi, il la regardait comme si elle venait de suggérer qu'il pourrait un jour assassiner sa mère.

— N'as-tu donc pas écouté ce que je viens de te dire ? De mon point de vue, l'amour n'est ni plus ni moins qu'une aberration. C'est parce qu'il est tombé amoureux que mon père a quitté ma mère. Il a abandonné sa famille au nom de l'amour ! Et sans l'accident de voiture dans lequel il a trouvé la mort, il ne se serait pas contenté de détruire le bonheur des siens. Il aurait sans nul doute conduit la banque à la faillite… Alors qu'on ne vienne pas me chanter les louanges de l'amour ! Le jour où mon père est parti, je me suis juré de ne jamais tomber dans ce piège.

« Tu n'avais que six ans ! » faillit protester Lucy. Mais elle se ravisa. Mieux valait s'abstenir. Visiblement, il était inutile de tenter de le raisonner. Sa blessure était trop profonde. Y avait-il un espoir qu'elle se cicatrise un jour ? Rien n'était moins sûr. Elle ne put retenir un frisson. Jusque-là elle ignorait totalement qu'il avait une vision aussi négative de l'amour…

Son café était froid, mais elle gardait les mains refermées sur sa tasse comme si elle espérait y trouver de la chaleur et du réconfort.

— Je… je ne suis pas certaine qu'il soit si raisonnable de nous marier, Marcus, déclara-t-elle en s'efforçant de maîtriser le tremblement de sa voix.

— Il est trop tard pour changer d'avis. Ta mère a déjà commencé à tout organiser. Par ailleurs…

Il fit une pause avant de poursuivre.

— N'oublie pas que tu portes peut-être déjà mon enfant. Nous allons nous marier, Lucy. Je refuse de revenir sur cette décision.

De même qu'il refuserait toujours de changer d'opinion sur l'amour, comprit alors Lucy, en proie à une profonde détresse. Rien ne pourrait jamais ébranler ses convictions. Comment avait-elle pu se bercer d'illusions ? Marcus ne l'aimerait jamais.

— Il faut que nous discutions de l'avenir de *Clé en main*, poursuivit-il d'un ton catégorique.

Lucy se raidit. Elle avait reçu une lettre d'Andrew Walker

l'informant qu'il était toujours en déplacement à l'étranger et qu'il reprendrait contact avec elle dès son retour. Il lui recommandait de nouveau expressément de garder la plus grande discrétion sur leurs projets.

Certes, il ne devrait y avoir aucun secret entre une femme et son futur mari. Cependant, elle avait donné sa parole à Andrew Walker et elle avait bien l'intention de la tenir. Il n'était pas question de révéler quoi que ce soit à Marcus pour l'instant.

Et puis, elle n'avait aucune envie qu'il devienne son associé. La trahison de Nick lui laissait un souvenir trop cuisant. Il était bien sûr impensable que Marcus cherche à lui nuire de la même façon, mais mieux valait désormais éviter les interférences entre vie professionnelle et vie privée. Elle devait absolument préserver son indépendance. Si le manque d'amour la rendait trop malheureuse, il lui resterait au moins la possibilité de s'épanouir dans son travail...

— Pour assainir les comptes de *Clé en main*, il y a une solution très simple, déclara-t-il. Je vais racheter toutes les dettes.

— Non ! Je ne veux pas !

— Pourquoi ? demanda-t-il, manifestement stupéfait. Il y a quelques semaines, tu me suppliais de te laisser retirer les fonds nécessaires pour renflouer ta société.

— Ça n'avait rien à voir. Il s'agissait de mon argent, pas du tien.

Marcus considéra Lucy avec perplexité. De toute évidence, elle n'était plus aussi décidée à se marier avec lui. Etait-ce parce qu'en dépit de tout ce qu'il lui avait fait subir, elle aimait toujours Nick Blayne ? Et pourquoi refusait-elle qu'il rachète les dettes de *Clé en main* ?

— Ecoute..., commença-t-il.

— C'est moi qui suis responsable de ma société et je tiens

à ce que ça continue, coupa Lucy avec une fermeté qui la surprit elle-même.

Ce serait sa planche de salut si son second mariage tournait lui aussi à la catastrophe... Elle refoula les sanglots qui lui serraient la gorge. Pas question de s'effondrer devant Marcus...

Comme ses deux amies avaient de la chance d'avoir épousé des hommes qui les aimaient et avec qui elles pouvaient tout partager ! pensa-t-elle. Ce bonheur lui était refusé. Jamais elle ne pourrait se confier à Marcus. En se mariant avec lui, elle se condamnerait à taire à tout jamais ses sentiments les plus profonds... Mais comment renoncer à lui ? Comment le laisser fonder une famille avec une autre femme ? Jamais elle n'en aurait le courage...

En sortant de la chambre, Lucy consulta sa montre. Marcus devait déjà être arrivé à Edimbourg. Il ne serait absent que quelques jours, mais il lui manquait déjà.

Même s'ils ne vivaient pas encore officiellement ensemble, elle passait plus de nuits à Wendover Square que chez elle.

Ce soir avait lieu la fête organisée par *Clé en main* pour le lancement de la nouvelle chaussure de football. Tout était fin prêt et le nombre de réponses favorables aux invitations qu'elle avait envoyées était particulièrement élevé. Même Dorland serait là.

La sonnerie de son portable l'arracha à ses pensées. Quand elle vit s'afficher le numéro de Marcus, son cœur se mit à battre la chamade.

— Ta mère a-t-elle envoyé les faire-part ? demanda-t-il.
— Ils sont partis hier.

Sa mère avait passé plusieurs après-midi au sous-sol de

Smythson, la papeterie la plus prestigieuse de Londres, à étudier longuement différents échantillons de papier.

— Mais étant donné qu'il reste très peu de temps avant le mariage, elle a également prévenu les gens par téléphone. Connais-tu le nombre exact d'invités de ton côté ?

— Aux dernières nouvelles, un peu plus de deux cents. Sans compter des cousins au second degré dont ma mère et Beatrice espèrent retrouver la dernière adresse en Nouvelle-Ecosse. Cependant, je doute qu'ils fassent le déplacement. Et d'après ce que j'ai compris, ta mère ne parvient pas à réduire sa liste à moins de deux cent cinquante invités, c'est bien ça ?

Lucy poussa un soupir.

— Oui. Dire que nous voulions nous marier dans l'intimité…

— J'ai fait tout mon possible pour résister à la pression, mais il y a des batailles perdues d'avance, déclara-t-il d'un ton pince-sans-rire.

— Quand je pense que nous avions prévu un simple déjeuner au restaurant avec la famille proche et que nous allons nous retrouver à cinq cents dans une salle de bal du Ritz !

— Ne t'inquiète pas. Ça leur fait plaisir et tout se passera très bien.

— Oui, tu as sans doute raison. Quand rentres-tu exactement ? Rappelle-toi que nous devons partir jeudi pour le baptême.

Julia et Silas faisaient baptiser leur fils de trois mois le week-end suivant, et ils avaient demandé à Lucy et à Carly d'être ses marraines.

Bien que Silas travaille à New York, le couple séjournait en Angleterre aussi souvent que possible, afin de tenir compagnie au grand-père de Julia, qui était très âgé. Le baptême devait avoir lieu au château de ce dernier.

— Ne t'inquiète pas, je n'ai pas oublié. Je serai rentré à temps. Il faut que je te laisse, à présent. Au revoir.

Pas de « Je t'aime » ni aucun autre mot tendre, songea Lucy avec un pincement au cœur. Mais il fallait s'y habituer, puisque Marcus ne l'aimait pas...

— Je m'en vais, madame Crabtree ! lança-t-elle à la gouvernante.

Comme tout le monde, cette dernière avait accueilli avec enthousiasme la nouvelle des fiançailles. Lucy et elle avaient passé plusieurs après-midi à discuter avec entrain des prochains travaux de rénovation de la cuisine.

— Un paquet vient d'arriver pour vous, répliqua la gouvernante.

Lucy se précipita dans la cuisine. Le paquet posé sur la table était accompagné d'un mot de Marcus.

« J'espère que ce présent te donnera envie de te réveiller à mon côté chaque matin de ta vie. »

Le rouge aux joues et les mains tremblantes, elle entreprit d'ouvrir le paquet. Marcus lui donnait déjà toutes les raisons de vouloir dormir dans ses bras jusqu'à la fin de sa vie. Il était difficile d'imaginer quel cadeau pourrait rendre leurs réveils encore plus sensuels...

A sa grande surprise, elle découvrit une machine à espressos.

— Oh, Marcus ! murmura-t-elle, submergée par une vive émotion.

— Il m'a confié que votre espresso du matin vous manquait beaucoup, commenta Mme Crabtree avec un large sourire.

Lucy poussa un soupir de soulagement. La soirée se déroulait conformément aux attentes de son client.

En dehors des stars du football et des top-modèles qui les accompagnaient, un grand nombre de personnalités du spectacle et des médias s'étaient déplacées et faisaient honneur au cocktail orange fluo créé spécialement pour évoquer l'éclair de même couleur ornant la nouvelle chaussure du fabricant.

Les pom-pom girls avaient mis toute leur énergie dans le spectacle et elles avaient recueilli de chaleureux applaudissements. Quant aux minibarquettes de « curry and chips », elles remportaient un franc succès.

— Félicitations, ma chère Lucy. Comme d'habitude, vous savez enchanter vos invités.

— Dorland !

Avec un sourire affectueux, le directeur de *La vie de la Jet-set* la prit par le bras.

— Mais je suis horriblement vexé que vous ne m'ayez rien dit de vos fiançailles avec Marcus, déclara-t-il d'un ton faussement réprobateur. Il a fallu que je lise le *Times* pour apprendre la nouvelle !

Lucy eut une petite moue penaude.

— C'est à Marcus qu'il faut adresser vos reproches, Dorland. Pas à moi. Mais vous venez au mariage, j'espère ?

— Bien sûr. D'ailleurs je tiens à vous féliciter pour le faire-part. Très chic. Il occupe une place de choix sur ma cheminée. Mais… il y a un problème dont je voudrais vous parler, Lucy, ajouta Dorland d'un air soudain grave. Venez vous asseoir un instant.

— Que se passe-t-il ? demanda-t-elle dès qu'ils se furent installés à l'écart de la foule.

— Un de mes photographes m'a dit qu'il vous avait vue à *La Brasserie* la semaine dernière, en compagnie d'Andrew Walker.

Lucy sentit ses joues s'enflammer. Quelle idiote ! Avec tous les paparazzi en permanence à l'affût devant cet établissement réputé, elle aurait dû se douter qu'elle serait repérée…

— C'est une relation de mon cousin, répliqua-t-elle d'un ton qui se voulait désinvolte.

— Lucy, il est de mon devoir de vous mettre en garde. Walker est un individu peu recommandable. Vous feriez mieux de l'éviter.

Stupéfaite, elle regarda Dorland avec inquiétude.

— Que voulez-vous dire ?

— Que savez-vous de lui, exactement ?

— Que c'est un homme d'affaires très prospère. Il a créé une sorte d'agence d'intérim spécialisée dans les services aux particuliers, qui rencontre un grand succès.

— Cette société n'est qu'une couverture, Lucy. En réalité, Walker appartient à un réseau de trafiquants, spécialisés dans l'exploitation de la misère humaine. Les gens qu'il emploie sont pour la plupart des immigrés clandestins originaires d'Europe de l'Est. Ils payent un prix exorbitant pour faire le voyage, appâtés par des promesses mensongères. On leur fait miroiter un emploi décent et une régularisation rapide de leur situation. Mais à l'arrivée on les maintient dans la clandestinité et on leur impose des conditions de travail et de logement inhumaines en menaçant de les dénoncer aux autorités. Et ce n'est pas tout. Des jeunes filles — vendues par leurs familles ou tout simplement enlevées — sont amenées ici de force et contraintes de se prostituer. Beaucoup tombent dans la drogue, qu'on leur fournit avec largesse au départ, histoire de renforcer leur dépendance et leur docilité. Croyez-moi, Lucy, cet homme est une véritable ordure. Et d'ailleurs, Andrew Walker n'est même pas son vrai nom.

Abasourdie, Lucy déglutit péniblement.

— Comment savez-vous tout ça ? parvint-elle à demander.

— L'année dernière, il a pris contact avec moi en me proposant d'investir dans *La vie de la Jet-set*. Il cherchait soi-disant à diversifier ses activités et il m'a laissé entrevoir la possibilité d'élargir la diffusion du magazine dans toute l'Europe et même jusqu'en Russie. Je dois reconnaître que pendant un moment, j'ai été tenté. Cependant, avant de prendre ma décision, j'ai pris des renseignements. Et c'est ainsi que j'ai découvert la vraie nature de ses activités. En réalité, s'il cherche à investir dans des sociétés existantes, c'est pour pouvoir blanchir plus facilement l'argent de son trafic. Loin de moi l'intention de m'immiscer dans vos affaires, Lucy, mais je vous supplie de suivre mon conseil. Si Walker vous propose de vous associer avec lui, refusez catégoriquement.

— Mais… je ne comprends pas… S'il est réellement coupable de tout ce dont vous l'accusez, il devrait être en prison depuis longtemps ! Pourquoi les autorités ne l'empêchent-elles pas de nuire ?

— Parce que personne n'a jamais pu recueillir la moindre preuve contre lui. Si j'ai découvert le pot aux roses, c'est parce que j'ai des informateurs dans tous les milieux. Croyez-moi, Lucy. Andrew Walker n'est pas fréquentable. Marcus sait-il que vous avez déjeuné avec lui ?

Lucy secoua la tête.

— Non. Mais je ne l'ai rencontré qu'une seule fois, souligna-t-elle.

— Eh bien, si j'étais vous, je m'en tiendrais là et je lui signifierais clairement que je ne veux pas avoir affaire à lui. Ce genre d'individu sait parfaitement comment piéger ses proies puis les maintenir ensuite sous sa coupe.

Lucy relut la lettre qu'elle venait de terminer et par laquelle elle informait Andrew Walker qu'étant sur le point de se marier, elle préférait prendre comme associé son futur époux et renoncer au projet dont ils avaient discuté lors de leur rencontre.

Elle la signa, la plia soigneusement et la glissa dans l'enveloppe dont elle avait déjà rédigé l'adresse.

Pour être certaine qu'elle parvienne à destination, elle allait l'envoyer en recommandé, décida-t-elle. Et le plus tôt serait le mieux. Elle consulta sa montre. Parfait. Elle avait le temps de se rendre à la poste avant la prochaine levée.

En scellant l'enveloppe, elle réprima un frisson. Heureusement que Dorland lui avait révélé la vraie nature d'Andrew Walker !

Si seulement la police parvenait à empêcher ce dernier de poursuivre son ignoble trafic... Mais selon Dorland, il était très difficile de démanteler un réseau comme celui de Walker. Ses ramifications étaient trop nombreuses et les profits générés trop importants. Les responsables disposaient de moyens financiers et humains si considérables qu'ils parvenaient toujours à échapper à la justice.

Clé en main aurait constitué pour Walker une couverture idéale, à la fois pour son trafic et pour le blanchiment d'argent, songea Lucy en réprimant un frisson.

Heureusement qu'elle n'avait rien dit à Marcus ! Il ne lui aurait certainement pas fallu longtemps pour comprendre que les intentions de Walker étaient louches. Et il ne se serait pas privé de lui reprocher, encore une fois, sa naïveté...

Marcus... Il rentrait dans l'après-midi.

— Tu es bien silencieuse.

— Vraiment ?

Lucy eut un sourire contraint. Heureusement que le soleil lui donnait un prétexte pour dissimuler son regard derrière ses lunettes noires...

Ils étaient en route pour le château du grand-père de Julia. Le baptême n'aurait lieu que deux jours plus tard, mais Lucy,

96

Carly et Julia tenaient à passer un peu de temps ensemble avant l'arrivée des autres invités. Comme elle avait hâte de revoir ses amies ! songea-t-elle, un peu rassérénée par cette perspective.

Marcus avait réservé une chambre dans un manoir transformé en hôtel. Ainsi, ils pourraient s'entraîner pour leur lune de miel, avait-il plaisanté. Lune de miel qu'ils passeraient d'ailleurs dans les Caraïbes...

Il lui avait terriblement manqué pendant ses quelques jours d'absence. Malheureusement, quand il était rentré la veille au soir, elle se sentait si perturbée par ce qu'elle avait appris sur Andrew Walker qu'elle ne l'avait pas accueilli aussi chaleureusement qu'elle l'avait prévu. Elle se sentait si coupable de sa naïveté qu'elle n'avait pas réussi à se détendre.

Même pas au lit...

La voix de Marcus l'arracha à ses pensées.

— Au fait, tu ne m'as pas parlé de la soirée organisée par *Clé en main*. Comment ça s'est passé ?

— Oh, très bien, répondit-elle en rougissant.

Elle ne pouvait s'empêcher d'associer cette soirée aux révélations de Dorland...

Marcus plissa le front. Que s'était-il passé en son absence ? Quelque chose avait changé dans l'attitude de Lucy. Pourquoi ? Hésitait-elle toujours à se marier avec lui ? Avait-elle des regrets à propos de Nick Blayne ?

Il crispa la mâchoire. Pas question de renoncer à ce mariage. Lucy ne voyait-elle donc pas qu'il la rendrait plus heureuse que ce minable ?

— J'ai parlé à McVicar aujourd'hui, dit-il d'un ton circonspect. Je l'ai prévenu que j'avais l'intention de verser sur le compte de *Clé en main* une somme suffisante pour payer les dettes et constituer un fonds de roulement.

— Non !

Lucy se mordit la lèvre. Elle avait protesté avec plus de véhémence qu'elle ne l'aurait voulu… Cependant, il n'était pas question de céder à Marcus.

— Je t'ai déjà dit que je n'étais pas d'accord. Ce qui reste de mon héritage suffira à rembourser les dettes de *Clé en main*. Je ne veux pas me sentir redevable envers toi.

— Dans ce cas, pourquoi ne deviendrais-je pas ton associé ? Nous pourrions…

— Non. Je ne veux pas non plus.

Marcus serra les dents. Il aurait aimé comprendre pourquoi elle faisait preuve d'une telle obstination ! Mais mieux valait s'abstenir de lui poser la moindre question pour l'instant. Elle semblait si irritée…

Et il avait peur ! comprit-il soudain avec stupéfaction. Il avait peur de perdre Lucy…

Aimait-elle encore Blayne, malgré tout ce qu'il lui avait fait endurer ? Espérait-elle l'inciter à revenir vers elle, par le biais de *Clé en main* ? Cela paraissait pourtant insensé.

Bon sang ! Il ne comprenait plus rien. Que se passait-il ? Au début, elle avait semblé parfaitement heureuse de se marier avec lui. D'autant plus qu'ils passaient ensemble des nuits exceptionnelles.

Jusqu'à la nuit dernière… Pas un seul instant elle n'avait vibré dans ses bras. Et depuis ce matin elle était très distante.

Or il en souffrait, reconnut-il avec perplexité. De même qu'il se sentait profondément blessé qu'elle refuse son aide.

— Nous quittons l'autoroute à la prochaine sortie, déclara-t-il quelques instants plus tard. L'hôtel n'est plus très loin. Nous pourrions y passer pour déposer nos affaires. A quelle heure Julia et Silas nous attendent-ils ?

— Nous pouvons arriver quand nous voulons. Il n'est donc pas nécessaire de nous presser.

Pourvu qu'il comprenne qu'elle avait envie de passer un

peu de temps en tête à tête avec lui avant de retrouver leurs amis ! songea Lucy, le cœur battant. Elle avait tellement envie de lui prouver que son manque d'ardeur de la nuit précédente n'était qu'un accident de parcours…

Après avoir quitté l'autoroute, ils prirent des petites routes de campagne et traversèrent plusieurs villages. Au bout d'un moment, Marcus déclara d'un ton qu'il voulait léger :

— Je trouve cette région très agréable. Par ailleurs, elle est facilement accessible depuis Londres. Nous pourrions envisager d'y chercher une maison. Qu'en dis-tu ?

— C'est une excellente idée. J'ai passé de nombreuses vacances chez le grand-père de Julia quand nous étions au collège, et j'ai toujours eu envie de vivre par ici.

Quelques minutes plus tard, il engageait la voiture dans une allée de gravier.

— Nous sommes arrivés, annonça-t-il.

— Quel endroit merveilleux ! s'exclama-t-elle en descendant du véhicule.

Des daims gambadaient dans l'immense parc de l'hôtel. L'un deux s'arrêta et la fixa un instant de ses grands yeux noirs, si émouvants.

Dans le hall du manoir, il flottait un agréable parfum de cire d'abeille, qui se mêlait à celui d'un pot-pourri. La réceptionniste, d'une élégance raffinée dans sa jupe de tweed et son cardigan de cachemire sur lequel elle portait un collier de perles, les accueillit avec chaleur.

Difficile de s'imaginer qu'on était à l'hôtel, songea Lucy. La jeune femme avait tout d'une châtelaine recevant des amis venus pour le week-end.

— Nous vous avons attribué une suite dans l'ancienne grange. Je pense que vous vous y plairez. Mais venez voir par vous-même. Je vais vous y conduire.

Alors qu'ils traversaient la cour, Lucy s'extasia devant les deux cygnes qui évoluaient avec une grâce nonchalante sur l'étang. Une bande de canards, plus pétulants, s'ébattaient à proximité.

— Nous avons également des paons, déclara la réceptionniste. J'espère qu'ils ne vous importuneront pas. Certaines personnes ne supportent pas leur cri. Pour ma part je trouve que leur beauté compense largement ce petit inconvénient.

Elle les précéda dans le hall lumineux d'un bâtiment à un étage.

— Nous vous avons installés au premier.

Ils suivirent la jeune femme dans le grand escalier de bois. Une fois sur le palier, elle ouvrit une porte à l'aide d'une lourde clé en fer forgé et les invita à pénétrer dans un étroit couloir. Celui-ci débouchait sur une immense pièce dotée d'une imposante cheminée.

— Vous disposez de deux salles de bains… une de chaque côté du lit, expliqua la jeune femme en indiquant les deux portes. Et par ici, vous avez un salon-salle à manger…

Elle ouvrit une porte qui donnait sur une pièce plus petite, avec un balcon donnant sur la campagne.

— Qu'en penses-tu ? demanda Marcus à Lucy.

— C'est parfait, répondit-elle avec sincérité.

— Je suis ravie que ça vous plaise, déclara la jeune femme. Je vous fais porter vos bagages immédiatement.

— Marcus, cet endroit est vraiment fantastique ! s'exclama Lucy après son départ. C'est si romantique. Surtout avec la cheminée…

Le cœur battant, elle se rapprocha de lui. Elle regrettait tellement d'avoir été trop nerveuse la nuit précédente pour apprécier leurs retrouvailles ! Heureusement, elle se sentait à présent beaucoup plus détendue. Et son désir pour lui était de nouveau là, plus fort que jamais. Elle brûlait d'envie qu'il l'embrasse avec fougue avant de la porter jusqu'à ce lit gigantesque qui semblait leur tendre les bras…

Il était temps d'oublier Andrew Walker et de profiter pleinement de cette escapade.

Mais à sa grande déception, Marcus se dirigea vers la sortie en déclarant d'un ton neutre :

— Allons-y. Julia et Silas doivent nous attendre.

Elle le suivit, la mort dans l'âme.

8.

— Quelle joie de te revoir !

Julia serra Lucy dans ses bras à l'en étouffer.

— Fais-moi voir ta bague. Oh, Lucy ! Elle est magnifique ! Tu ne peux pas savoir à quel point je suis heureuse pour toi ! Silas prétend qu'il a toujours su que vous finiriez par tomber dans les bras l'un de l'autre, Marcus et toi.

— Absolument ! Vous les femmes, vous n'avez pas le monopole de l'intuition. N'est-ce pas, mon fils ? demanda Silas au petit bébé enveloppé de linge bleu qu'il tenait dans les bras. Pour être honnête, c'est l'attitude de Lucy qui m'a donné des soupçons.

Il se tourna vers celle-ci.

— Tu étais si agressive avec lui ! Et tu répétais si souvent que tu le haïssais… J'ai fini par me demander ce que ça cachait. Comme nous le savons tous…

— … la haine est parfois très proche de l'amour ! compléta Julia.

Les deux époux échangèrent des regards complices.

Ecarlate, Lucy se hâta de tendre les bras pour faire diversion.

— S'il te plaît, Silas, dit-elle, laisse-moi prendre mon futur filleul !

— Il est lourd, tu sais, prévint Julia avec une fierté manifeste.

— Comme il est mignon ! s'exclama Lucy, tout attendrie, en prenant le bébé dans ses bras.

— Au fait, reprit Julia, Carly a téléphoné il y a quelques instants. Ricardo et elle devraient arriver bientôt. Tu sais qu'ils ont loué une maison dans le village pour le week-end ?

— Oui, elle m'a envoyé un e-mail.

Julia poussa un soupir.

— J'aurais tellement aimé pouvoir tous vous loger ici ! Mais avec ma famille et celle de Silas qui arrivent demain, il n'y a même plus un canapé de libre. Tu es sûre que Nat n'est pas trop lourd pour toi, Lucy ?

Son amie était déjà impatiente de reprendre son bébé, comprit Lucy. Elle caressa la joue de ce dernier en lui souriant avant de le rendre à sa mère.

Tout en écoutant distraitement les commentaires de Silas sur les fluctuations du cours du dollar, Marcus ne pouvait s'empêcher d'observer Lucy. Penchée sur Nat, elle avait un sourire béat et son visage rayonnait de tendresse. Pourquoi ce spectacle le bouleversait-il ? se demanda-t-il avec irritation. Il ne pouvait tout de même pas être jaloux d'un bébé. Ce serait ridicule…

Au moment où elle tendit Nat à Julia, Lucy eut un pincement au cœur. Comme son amie avait de la chance ! Son bébé était vraiment un enfant de l'amour. Pas un héritier conçu dans le seul but de lui confier plus tard la direction de la banque familiale…

— Lucy, viens t'asseoir, dit Julia en tapotant le canapé à côté d'elle. J'espère que Marcus et toi vous ferez très bientôt un ou une camarade de jeux à Nat. Tu verras, c'est tellement extraordinaire de…

Elle s'interrompit brusquement en voyant une Mercedes passer devant la fenêtre.

— Oh, voilà Carly et Ricardo !

Cinq minutes plus tard, la grande pièce résonnait d'exclamations et de rires joyeux.

— Comme il a grandi ! s'exclama Lucy, impressionnée, en admirant le fils de Carly et Ricardo. Et toi, comme tu es belle, Carly ! Enceinte de six mois et toujours aussi élégante !

Toute à la joie de retrouver ses deux amies et d'admirer leurs enfants, Lucy finit par se détendre.

— Je suis si impatiente d'assister à ton mariage, Lucy ! s'exclama Carly. Après tout, tu es la seule de nous trois à te marier en grande pompe !

— Oh, oui, moi aussi, je meurs d'impatience ! renchérit Julia. Quand t'es-tu rendu compte que tu aimais Lucy, Marcus ?

Le cœur de Lucy se serra douloureusement. Si ses amies avaient su la vérité…

— Pas assez tôt, répliqua-t-il avec le plus grand naturel. Si je m'en étais rendu compte avant, je ne l'aurais jamais laissée épouser Blayne.

En priant pour que personne ne remarque à quel point son rire sonnait faux, Lucy se joignit à l'hilarité générale.

— Tes amis sont charmants, déclara Marcus, sur la route de l'hôtel.

— Je suis ravie que tu les apprécies.

— Je suis de plus en plus convaincu que nous devrions chercher une maison dans la région.

— Ce serait une bonne idée, en effet. D'autant plus que Julia et Silas envisagent d'y séjourner régulièrement. Ils veulent que leurs enfants grandissent à la fois en Angleterre et aux Etats-Unis.

Lucy renversa la tête sur son dossier et ferma les yeux. Ils avaient en effet passé un moment très agréable. Manifestement, les trois hommes s'entendaient bien. Et par moments, elle avait presque réussi à se convaincre que Marcus et elle formaient un couple comme les autres.

Si seulement cela pouvait être vrai…

Marcus se gara sur le parking de l'hôtel et contempla longuement Lucy, qui s'était endormie quelques minutes après leur départ de chez Julia. Vivement qu'ils se marient ! Quand elle serait officiellement devenue son épouse, il pourrait de nouveau accorder toute son attention à ses affaires.

Pour l'instant, il fallait bien reconnaître qu'il en était incapable. Pourquoi était-il aussi anxieux à l'idée qu'elle puisse changer d'avis et renoncer à l'épouser ?

Il posa une main sur le bras de la jeune femme.

— Lucy, réveille-toi. Nous sommes arrivés.

— Marcus ?

Elle ouvrit les yeux et posa sur lui un regard ébloui. Le souffle coupé, il fut submergé par une vive émotion, toute nouvelle pour lui. Décidément, que lui arrivait-il ?

Lucy poursuivit d'une voix ensommeillée :

— Je rêvais justement de toi, et…

— Et ? coupa-t-il d'une voix rauque.

Mon Dieu ! Comme il avait envie de la prendre dans ses bras et de la serrer contre lui…

— Rien.

Lucy secoua la tête, les joues en feu. A en juger par la lueur qui venait de s'allumer dans les yeux de Marcus, il avait deviné les grandes lignes de son rêve…

— Dois-je déduire de cette rougeur délicieuse sur ton visage que ce rêve mériterait de se prolonger dans la réalité ?

Aussitôt, Lucy sentit tout son corps s'embraser.

— Eh bien…

Il captura sa bouche avec une telle fougue qu'elle faillit suffoquer.

— Viens, dit-il dans un souffle.

Ils s'arrêtèrent si souvent pour s'embrasser après être descendus de voiture que Lucy délirait presque de désir quand ils arrivèrent enfin dans leur chambre. La maintenant serrée contre lui, Marcus déverrouilla la porte sans détacher sa bouche de la sienne.

Un feu brûlait dans la cheminée, les rideaux étaient fermés et il flottait dans la pièce une merveilleuse odeur de pin brûlé. Le décor idéal pour un nid d'amour.

— Marcus…, murmura-t-elle.

— Oui ?

— Dépêche-toi…

Brûlant d'un désir aussi ardent que le sien, Marcus ne prit pas le temps de la déshabiller. Se bornant à écarter les obstacles qui les séparaient encore, il la plaqua contre le mur et entra en elle d'un seul mouvement puissant.

Submergé par un besoin irrésistible de la posséder avec sauvagerie, il ne chercha pas à lutter contre la fièvre qui le dévorait.

Les jambes nouées sur les reins de Marcus, Lucy se laissait gagner par le plaisir qui montait en elle dans une succession de vagues de plus en plus puissantes. Comme c'était excitant de s'abandonner à cet assaut impérieux !

Plus tard dans la nuit, ils auraient tout le temps de se dévêtir et de s'aimer plus langoureusement. Mais pour l'instant, cette impétuosité la comblait…

*
**

106

Lucy but une gorgée d'espresso. Elle avait beau se le répéter à chaque instant, elle avait encore du mal à y croire. Dans quelques jours, elle serait l'épouse de Marcus. Cela lui paraissait si incroyable...

Toutefois, ce n'était pas une raison pour rêvasser toute la journée. Si elle était au bureau, c'était pour travailler ! Pas pour se remémorer indéfiniment tous les moments fantastiques qu'elle avait passés dans les bras de Marcus... D'autant plus que ces souvenirs brûlants faisaient naître en elle un émoi qui nuisait gravement à sa faculté de concentration...

Inspirant profondément, elle s'efforça de reprendre la mise à jour de son fichier clients. Aucune nouvelle commande à l'horizon, ce qui était très préoccupant...

Mais pas assez pour gâcher sa joie. Depuis le baptême de Nat, tous ses doutes s'étaient envolés et elle n'avait plus qu'une hâte : devenir Mme Marcus Canning.

Elle but une autre gorgée de café en étudiant pour la énième fois les photos du baptême publiées dans le dernier numéro de *La vie de la Jet-set*. Il y en avait une, particulièrement réussie, la montrant avec son filleul dans ses bras et Marcus à son côté.

Marcus...

Des coups frappés à la porte de son bureau la firent tressaillir. C'était sûrement lui ! En principe, il devrait se trouver à Manchester, mais son rendez-vous avait dû être annulé.

— Bonjour, Lucy. J'espérais bien vous trouver ici.

Aussi stupéfaite qu'embarrassée, elle resta bouche bée en reconnaissant son visiteur.

Andrew Walker.

— Bonjour, répliqua-t-elle après quelques secondes de silence. Vous avez reçu ma lettre ?

— Oui.

Il passa à côté du bureau pour se planter derrière elle, devant la fenêtre. Allons bon, songea-t-elle en faisant pivoter son siège. Dans le contre-jour, elle ne distinguerait pas ses traits. Alors que de son côté, il ne perdrait rien de son expression…

— Je suis très déçu que vous ayez décidé de ne pas donner suite à nos projets, ma chère Lucy. A vrai dire, ma déception est si grande que je ne parviens pas à abandonner tout espoir de vous faire changer d'avis.

Etait-ce un effet de son imagination, ou bien y avait-il réellement une menace sous-jacente dans ces propos énoncés d'un ton un peu trop affable ? se demanda Lucy, de plus en plus déstabilisée.

— Comme je vous l'ai expliqué dans ma lettre, je suis sur le point de me marier, et…

— Oui, en effet. Avec Marcus Canning, si j'ai bien compris.

— Oui. Et c'est lui que j'ai choisi comme associé.

Ce mensonge devrait rappeler à Andrew Walker que ce n'était plus seulement à elle qu'il avait affaire, songea-t-elle en s'efforçant d'ignorer l'appréhension qui lui nouait l'estomac.

— Vraiment ? Vous savez, ma chère Lucy, en refusant ma proposition vous perdez une occasion unique de donner à votre société un essor inespéré. Par ailleurs, il n'est pas très judicieux de s'associer avec son conjoint. L'avenir d'un mariage est toujours si incertain… Ne trouvez-vous pas qu'il est plus raisonnable pour une femme de rester financièrement indépendante de son mari ? Sachez que mes associés et moi-même sommes prêts à vous faire une offre très généreuse.

Lucy déglutit péniblement. Si elle n'avait pas su à quoi s'en tenir au sujet de Walker, elle aurait sûrement été très tentée d'accepter sa proposition. Mais malheureusement pour lui, elle n'ignorait plus rien de ses activités.

— Je ne doute pas que vous soyez prêt à tout pour mettre la main sur mon entreprise, répliqua-t-elle sèchement. Je sais

108

pourquoi elle vous intéresse tant. Mais il n'est pas question qu'elle serve de couverture à votre odieux trafic.

Elle venait de commettre une énorme erreur, songea-t-elle soudain, l'estomac de plus en plus noué. Mais elle n'avait pas pu s'en empêcher.

— Vous avez tort d'écouter les ragots colportés par les envieux, déclara Walker d'une voix suave. Vous feriez beaucoup mieux de reconsidérer ma proposition et de renoncer à prendre Marcus Canning comme associé. Cela vous éviterait bien des problèmes. Après tout, comme je viens de le dire, on ne peut être sûr de rien dans la vie. Et surtout pas de l'avenir d'un mariage. D'ailleurs, vous avez déjà été mariée une fois, et...

— Je n'écouterai pas un mot de plus, coupa-t-elle. Il est inutile d'essayer de faire pression sur moi. Je ne changerai pas d'avis.

— Je vous conseille vivement de revoir votre position, au contraire. Et à votre place, je m'abstiendrais de rapporter notre conversation à M. Canning. Dans votre intérêt comme dans le sien...

Sans lui laisser le temps de répliquer, il traversa la pièce et gagna la sortie.

— Je reprendrai contact avec vous, lança-t-il avant de disparaître.

Il était parti... Lucy crut défaillir de soulagement. Elle voulut se lever pour verrouiller la porte, mais ses jambes refusèrent de la porter.

Il fallait qu'elle ferme définitivement *Clé en main*, décida-t-elle en tremblant de tous ses membres. Il n'y avait pas d'autre solution.

Quand Marcus lui demanderait pourquoi elle renonçait brusquement à la société pour laquelle elle s'était tant battue, il suffirait de lui répondre qu'après mûre réflexion elle avait décidé de se consacrer entièrement à leur couple et à leur famille.

En d'autres termes, il faudrait lui mentir.

Mais que faire d'autre ? Elle n'avait pas le choix. Comment pourrait-elle lui avouer la vérité ? Si elle lui expliquait la situation, il la mépriserait pour sa naïveté.

Or elle ne le supporterait pas.

— En principe, il ne faut pas que tu me voies dans ma robe avant le mariage, déclara Lucy d'un ton réprobateur. Ça porte malheur.

Marcus était passé la prendre chez ses parents et ils venaient d'arriver à Wendover Square.

— Tu as décidé de te marier en jean ? s'exclama-t-il en prenant un air horrifié.

Malgré l'angoisse qui ne la quittait plus depuis la visite de Walker, Lucy ne put s'empêcher de pouffer.

— Ne dis pas de bêtises ! Je parle de la robe que je portais quand tu es arrivé tout à l'heure chez mes parents.

— Quelle robe ? Je n'ai rien vu... Allons, ne fais pas cette tête. Bientôt tout sera terminé et nous partirons en voyage de noces.

— Oh, j'attends ça avec une telle impatience !

— Oui, moi aussi.

Ils se regardèrent un moment en silence.

Quelle était cette lueur qui brillait dans les yeux de Marcus ? se demanda Lucy, le cœur battant à tout rompre.

Mais au même instant, quelqu'un sonna à la porte et Marcus alla ouvrir. Un coursier lui tendit un paquet.

— Tu veux bien nous préparer un verre pendant que j'ouvre ça ? demanda-t-il à Lucy après le départ du jeune homme.

Elle s'attarda un instant dans le hall, incapable de le quitter du regard. Comme il était beau ! Elle ne se lasserait jamais de le contempler...

Soudain, elle vit des photos s'échapper de ses mains. Instinctivement, elle s'avança pour les ramasser.

— Non ! Laisse !

Le ton impérieux de Marcus la fit tressaillir.

— Qu'est-ce que... ?

Elle s'interrompit brusquement. Seigneur ! Elle connaissait l'expression « son sang se glaça dans ses veines », bien sûr. Cependant, elle l'avait toujours considérée comme une image... Jamais elle n'aurait pu imaginer qu'elle éprouverait un jour cette sensation horrible... Or c'était exactement ce qui était en train de lui arriver. Elle avait l'impression qu'un froid glacial se répandait dans ses veines.

Cette photo qui se trouvait à ses pieds... C'était une photo d'elle.

Un sourire extasié aux lèvres, les yeux étincelants...

Entièrement nue, elle était en compagnie de trois hommes qui déployaient visiblement une grande énergie à la combler sexuellement.

Réprimant un haut-le-cœur, elle se baissa pour ramasser l'autre cliché, tombé à l'envers.

— Lucy ! Non !

Marcus se précipita pour l'en empêcher, mais elle le devança.

Tremblant de tout son corps, elle retourna la photo. Du même acabit, elle la représentait avec un nombre plus important de partenaires, hommes et femmes.

Elle jeta un coup d'œil à ce que Marcus tenait à la main. Une cassette vidéo. Sur la jaquette de cette dernière était collée une photo d'elle... Nue, dans une position plus qu'indécente.

Son estomac se souleva.

Elle se précipita dans la salle de bains et vomit. Un long

moment plus tard, frissonnant de dégoût, elle ouvrit les robinets et se lava le visage à grande eau, puis se brossa les dents. Seigneur ! Quel cauchemar ! Elle se sentait si sale ! Elle avait l'impression qu'à moins de s'arracher la peau elle ne pourrait jamais se laver de cette souillure.

— Lucy...

Elle tourna la tête. Marcus l'observait depuis le seuil de la salle de bains. Curieusement, son visage semblait exprimer de la compassion. Mais ça ne pouvait être que du dégoût, bien sûr... Elle détourna vivement les yeux.

— Ce n'est pas moi, dit-elle d'une voix étranglée, en prenant soin de fixer le mur devant elle. Je sais qu'on pourrait croire le contraire, mais je t'assure que ce n'est pas moi.

Il ne répondit pas.

Qu'avait-elle espéré ? se demanda-t-elle avec amertume. Qu'il la prendrait dans ses bras en lui disant qu'il l'aimait ? Après avoir vu des horreurs pareilles ?

— Je comprends parfaitement que tu ne veuilles plus m'épouser, reprit-elle d'un ton posé qui la surprit elle-même.

Comment pouvait-elle parler aussi calmement alors qu'elle était déchirée par une souffrance insupportable ?

— Ne t'inquiète pas, je m'en vais. Je vais retourner chez mes parents pour les prévenir.

Seigneur ! Elle n'avait jamais eu aussi froid de sa vie. Même chez sa grand-tante Alice en plein hiver...

— Lucy...

Comme les mains de Marcus étaient chaudes sur son visage... Quand s'était-il approché d'elle ? Elle ne s'était rendu compte de rien.

— Arrête, s'il te plaît, supplia-t-elle d'une voix tremblante.

Des larmes inondèrent son visage.

— Ne me rends pas les choses plus difficiles, Marcus. Je sais ce que tu penses et ce que tu ressens.

— Vraiment ? demanda-t-il d'une voix vibrant de colère qui la fit tressaillir. Je n'en suis pas certain.

Elle réprima un sanglot. Il ne la croyait pas, bien sûr. Comment le pourrait-il avec ces horribles photos sous les yeux ?

— Marcus, je t'assure que ce n'est pas moi. Il faut me croire. C'est la vérité.

Pourquoi s'obstinait-elle à protester de son innocence ? C'était sans espoir. Il ne la croirait jamais…

— Je sais bien que ce n'est pas toi, voyons.

— Tu… tu sais que ce n'est pas moi ? répéta-t-elle avec circonspection.

— Evidemment !

— Comment peux-tu en être sûr ?

— D'abord pour la simple raison que tu as un grain de beauté, petit mais très reconnaissable, en haut de la cuisse gauche. Or il n'apparaît pas sur ces photos.

— Oh…

Comme c'était étrange ! songea-t-elle avec émerveillement. Un simple grain de beauté venait de la sauver.

— Il est évident que ces photos sont le résultat d'un montage, poursuivit Marcus. Mais l'absence de grain de beauté ne fait que confirmer ce que je sais de toute façon. Je n'ai pas besoin de preuve pour avoir la certitude que tu ne peux en aucun cas être la femme qui a été photographiée.

Marcus constatait avec surprise qu'il n'avait qu'une envie : serrer Lucy dans ses bras en lui assurant qu'il était prêt à tuer de ses propres mains l'expéditeur de ce paquet.

Or c'était vrai. Il se sentait capable du pire pour punir l'ignoble individu qui avait tenté de salir l'honneur de Lucy. Que lui arrivait-il ? Pourquoi ressentait-il la souffrance de Lucy au plus profond de lui-même, comme si c'était la sienne ?

— Mais pourquoi faire ça ? demanda-t-elle. Et pourquoi te l'envoyer ?

— C'est probablement quelqu'un qui a voulu me faire une farce, répliqua-t-il d'un ton qu'il espérait léger.

— Une farce ?

— Oui. Ce sont des choses qui arrivent.

Il haussa les épaules.

— De jeunes crétins comme ton cousin Johnny, par exemple. Qui n'ont rien de mieux à faire et qui…

— Mais enfin, Marcus, ça n'a rien à voir avec une farce ! protesta-t-elle, visiblement indignée.

— Peut-être est-ce quelqu'un qui cherche à semer la zizanie entre nous.

— Mais qui voudrait faire une chose pareille ?

Il haussa de nouveau les épaules.

— A quoi bon se perdre en conjectures ? Puisque cette tentative a échoué, le mieux est de l'oublier.

Bien sûr, ce n'était pas aussi simple, reconnut intérieurement Marcus. Et il n'était pas entièrement franc avec Lucy : ce matin même, il avait appris que Nick Blayne avait été mis à la porte par sa dernière maîtresse et qu'il était de nouveau sans un sou.

Il n'y avait pas de lettre dans le paquet. Cependant, il était fort probable que cet envoi constituait la première étape d'une tentative de chantage. Nul doute qu'on allait bientôt lui réclamer de l'argent contre les négatifs des clichés et le master de la cassette.

Or c'était tout à fait le genre de Nick Blayne. Cependant, il était inutile d'inquiéter Lucy. Elle était déjà assez bouleversée…

114

9.

Lucy avait refusé catégoriquement de se marier en blanc. Elle avait été sur le point de renoncer à trouver une robe qui lui convienne quand elle avait eu le coup de foudre pour un ensemble Vera Wang de soie grège, constitué d'un corsage ajusté, style guêpière, et d'une jupe amovible agrémentée d'une traîne courte.

Afin de rester fidèle à la tradition, sa mère avait fait faire le boléro qui complétait sa tenue dans de la dentelle appartenant à la famille depuis des décennies.

Egalement déterminée à se passer de voile, Lucy avait fini par accepter de porter une petite toque à voilette.

Lucy regarda discrètement autour d'elle en entrant dans l'église. Les énormes bouquets de lis, la véritable armée de garçons et de demoiselles d'honneur, le cadre prestigieux de l'Oratory et la musique de Haendel contribueraient à rassurer sa mère, inquiète à l'idée que sa fille pourrait ne pas ressembler à une « vraie » mariée...

En entendant les murmures admiratifs qui couraient dans les rangées derrière lui, Marcus comprit que sa future épouse était en train de le rejoindre. Il se retourna. En la voyant remonter lentement l'allée centrale au bras de son père, il sentit les battements de son cœur s'accélérer.

Que lui arrivait-il ? Il s'était pourtant bien juré qu'aucune femme ne ferait jamais naître en lui la moindre émotion...

Cette fois, il n'y avait plus de doute. Marcus et elle étaient vraiment mariés, songea Lucy, prise de vertige en entendant l'évêque déclarer :

— Vous pouvez embrasser la mariée.

Marcus se contenta d'effleurer ses lèvres. Submergée par une vive déception, elle sentit sa gorge se nouer.

La musique de Haendel retentit sous la coupole, tandis que les jeunes mariés gagnaient la sortie. Sous le soleil radieux de ce bel après-midi de novembre, ils furent bombardés de pétales de roses par leurs invités, avant de monter dans la limousine blanche qui devait les conduire au Ritz pour le repas de noces.

— Tu ne regrettes pas de ne pas passer notre nuit de noces à l'hôtel ? demanda Marcus.

Ils se trouvaient dans leur chambre, à Wendover Square. Il flottait encore dans la pièce, tout juste rénovée, une vague odeur de peinture.

— Non, pas du tout. Nous partons demain en lune de miel dans les Caraïbes. Et de toute façon...

— Oui ?

Lucy secoua la tête. Ils étaient désormais mari et femme, mais elle ne pouvait toujours pas se permettre de faire part de ses sentiments à Marcus. Impossible de lui avouer qu'elle se moquait éperdument de l'endroit où ils dormaient, du moment qu'ils étaient ensemble.

— Non, rien...

— Mmm... Les minuscules agrafes de ce corsage me narguent

depuis des heures. J'ai hâte de défaire ta robe... Mais avant, je vais chercher une bouteille de champagne au rez-de-chaussée. Ne t'enfuis pas pendant mon absence, surtout.

Il revint quelques minutes plus tard.

— Madame est servie ! lança-t-il en tendant une coupe de champagne à Lucy.

Ils trinquèrent.

— A nous.

— A nous, répondit-elle dans un souffle.

Après avoir bu une gorgée, il se pencha vers elle et l'embrassa.

— Tu sais, Lucy, quand je t'ai vue entrer dans l'église, je t'ai trouvée splendide.

— Oh, Marcus !

Elle se mordit la lèvre. Si seulement elle pouvait lui avouer son amour... Malheureusement, il n'en était pas question.

Après l'avoir longuement embrassée, il murmura :

— Comment dois-je m'y prendre exactement pour t'enlever cette robe ?

— Il faudrait commencer par la jupe. Elle est fixée au corsage par du Velcro.

Marcus suivit ce conseil, découvrant un porte-jarretelles de soie grège et des bas assortis.

— Je sais bien que c'est un peu convenu, dit Lucy avec embarras. Mais l'idée ne vient pas de moi...

Sans faire de commentaire, il s'agenouilla devant elle et détacha un bas qu'il fit glisser le long de sa jambe tout en parsemant celle-ci de baisers.

Puis il lui enleva sa chaussure et libéra son pied de son enveloppe de soie avant de le porter à sa bouche. Parcourue de longs frissons, Lucy laissa échapper un gémissement.

Puis, il lui enleva sa petite culotte.

La saisissant par les hanches, il explora du bout de la langue

117

sa fleur humide gonflée de désir. Lucy enfonça les doigts dans ses cheveux en ondulant lascivement et en laissant échapper des gémissements extatiques.

— Le meilleur champagne ne sera jamais aussi délectable que ce pur nectar, murmura-t-il d'une voix rauque quelques instants plus tard, après l'avoir fait chavirer dans le gouffre du plaisir suprême.

Le soleil n'était pas encore couché à leur arrivée dans la chambre, mais quand ils finirent par tomber nus et enlacés sur le lit, il faisait nuit noire. Nouant les jambes autour des reins de Marcus, Lucy l'accueillit en elle et ils furent emportés dans une spirale de feu tourbillonnante au sein de laquelle ils ne formaient plus qu'un seul être.

— Fatiguée ?

— Un petit peu, reconnut Lucy en descendant du taxi devant l'hôtel Sugar House de l'île Moustique.

Après le vol interminable, succédant à leur longue nuit de noces et à la journée du mariage, elle se sentait en effet un peu lasse. La nuit tropicale était tombée en quelques minutes, pendant le trajet entre l'aérodrome et l'hôtel.

Elle n'était jamais venue sur cette île et elle avait été agréablement surprise que Marcus choisisse un endroit aussi romantique pour leur lune de miel.

Ils pénétrèrent dans l'hôtel et Marcus se dirigea vers la réception.

— Madame Canning ?

— C'est à toi qu'elle s'adresse, rappela-t-il d'un ton pince-sans-rire, alors qu'une jeune fille souriante s'approchait de Lucy.

— Nous vous offrons en guise de bienvenue une série de coupons donnant accès à notre spa.

118

Lucy prit l'enveloppe et remercia la jeune fille.

— Je vous recommande tout particulièrement notre massage spécial couples dont vous pouvez bénéficier ensemble dans votre chambre, ajouta celle-ci.

— Si toutes les employées sont aussi jolies qu'elle, il n'est pas question que tu te fasses masser, plaisanta Lucy une fois qu'ils furent seuls dans leur suite.

— J'en étais sûr... A peine mariée, déjà rabat-joie ! rétorqua-t-il sur le même ton. Veux-tu dîner maintenant ou plus tard ? Inutile de défaire nos bagages. C'est le personnel de l'hôtel qui s'en charge.

— J'aimerais prendre une douche. Mais ce dont j'ai envie avant tout c'est...

— Un café. Je vais le commander. Et peut-être pourrions-nous explorer les lieux pendant qu'une femme de chambre s'occupe de nos valises ?

Dix minutes plus tard, ils quittaient la chambre, main dans la main. Construit autour d'un ancien moulin, l'hôtel avait été rénové récemment et transformé en résidence de luxe.

Ils se promenèrent dans les jardins baignés par le clair de lune, et admirèrent la plage située juste derrière. Lucy était éblouie. Pas étonnant que cet hôtel soit si couru ! Le site était sublime. Quand ils regagnèrent leur suite, toutes leurs affaires étaient soigneusement rangées dans la penderie.

— Comme on est bien !

Assise entre les cuisses de Marcus, dans leur bassin privé à l'extérieur de la chambre, Lucy renversa la tête en arrière contre son torse musclé. Les mains sur ses seins, il la tenait serrée contre lui.

— Merveilleusement bien, acquiesça-t-il en l'embrassant dans le cou.

Elle fut parcourue d'un frisson qui fit courir des rides sur la surface de l'eau.

— Personne ne peut nous voir, j'espère ? murmura-t-elle, tandis qu'il la couvrait de caresses, jouant de son corps avec virtuosité.

— Non, personne... La végétation nous protège des regards indiscrets. Mais nous pouvons rentrer, si tu préfères.

— Non. C'est tellement agréable d'être allongés dans l'eau au soleil...

— Très agréable, acquiesça-t-il en continuant de lui prodiguer des caresses de plus en plus intimes.

Lucy était électrisée. Elle avait été réveillée ce matin par les caresses de Marcus, qui l'avait entraînée dans un voyage au terme duquel le plaisir les avait cueillis l'un et l'autre en même temps.

Et voilà que de nouveau, il allumait dans son corps un feu dévastateur...

S'écartant légèrement de lui, elle fit glisser une main sur son ventre et descendit jusqu'à sa virilité frémissante sur laquelle elle referma les doigts.

Marcus la regarda se concentrer sur son plaisir. Etait-elle consciente que s'il était aussi excité, c'était en grande partie à cause de la lueur gourmande qui brillait dans ses yeux pendant qu'elle le caressait ?

La saisissant par les hanches, il la souleva pour s'enfoncer en elle et l'emporter dans une chevauchée sauvage qui les conduisit au paradis.

— Je n'arrive pas à croire que nous sommes déjà sur le chemin du retour, soupira Lucy alors qu'ils descendaient du petit avion en provenance de Moustique.

— Nous avons encore quelques heures avant le départ du vol pour Londres. Que veux-tu faire ?

— Je vais m'acheter des magazines.

— Je t'attends à la cafétéria. Tu veux que je te commande un café ?

— Oui, merci.

Lucy faisait la queue pour payer ses achats quand elle sentit le sang se retirer de son visage. Nick ! A quelques mètres du kiosque…

Comme s'il avait senti son regard sur lui, il tourna la tête et l'aperçut. Aussitôt, il quitta sa compagne pour se diriger vers elle.

— Tiens, tiens… Mon ex-femme… Tu es toute seule ?

— Non, je suis avec Marcus, répliqua-t-elle sèchement.

— Canning ?

De toute évidence, Nick était désagréablement surpris.

— Oui. Nous sommes mariés, ne put-elle s'empêcher de préciser avec une pointe de fierté.

— Il t'a épousée ? Comment as-tu réussi à le piéger ? Tu es enceinte ? Je pensais pourtant qu'il te laisserait tomber dès qu'il aurait reçu le petit cadeau de mariage que nous lui avons envoyé, Andrew et moi. Mais peut-être…

— C'est toi qui as envoyé ces photos ? coupa Lucy, livide. Avec Andrew ?

— Oui… Elles étaient réussies, n'est-ce pas ? Surtout celle où tu souriais. Tu avais l'air de t'amuser comme une folle.

Pas question de lui montrer à quel point elle était effarée, décida Lucy en s'efforçant de surmonter la panique qui la submergeait. Seigneur ! Nick travaillait avec Andrew Walker et ils avaient tenté de détruire son mariage avant même qu'il soit célébré… C'était terrifiant.

Chancelante, elle avait l'impression que le sol allait se dérober sous ses pieds d'une minute à l'autre. Quelle horreur !

Décidément, Andrew Walker semblait prêt à tout pour mettre la main sur *Clé en main*.

— Tu aurais dû accepter l'offre d'Andrew, Lucy, déclara Nick. Il est furieux contre toi. Il veut *Clé en main*, et crois-moi, il l'aura d'une manière ou d'une autre.

— Comment connais-tu Andrew Walker ?

— Quelle importance ? Je le connais, et c'est moi qui lui ai conseillé d'investir dans *Clé en main* C'est exactement le genre de société dont il a besoin.

— Pour blanchir l'argent volé aux réfugiés qu'il a réduits en esclavage ? lança Lucy avec indignation.

— Tiens, tiens… On a fouiné à ce que je vois. Fais attention, Lucy. Ta curiosité pourrait te jouer de très mauvais tours. Et sache une chose. Etant donné que tu as donné ton accord verbal à Andrew, il te considère comme son associée, que tu le veuilles ou non.

— Je n'ai jamais donné mon accord ! Nous avons seulement évoqué un vague projet !

Lucy vacilla. Elle était en plein cauchemar.

Où était-elle passée ? Nerveux, Marcus quitta la cafétéria et partit à sa recherche.

Il la repéra facilement parmi la foule. Et il n'eut aucun mal à reconnaître l'homme avec qui elle discutait.

Il fut envahi par une colère noire. Nick Blayne ! Que faisait-il ici ? Lucy était sa femme, à présent. Ce minable n'avait plus rien à voir avec elle !

Il se dirigea vers eux à grands pas, mais avant de les avoir rejoints, il vit Lucy reposer ses journaux d'un geste vif et s'éloigner du kiosque en toute hâte.

Il la rattrapa au moment où elle arrivait devant la cafétéria. De toute évidence, elle était bouleversée.

— Que t'arrive-t-il ? demanda-t-il d'un ton brusque qui fit tressaillir la jeune femme. On dirait que tu as vu un fantôme.

— Je suis fatiguée et je meurs de chaud, c'est tout.

Il fallait absolument qu'elle recouvre son sang-froid, se dit Lucy avec désespoir. Elle devait à tout prix surmonter cette terrible angoisse qui lui nouait l'estomac.

Marcus fronça les sourcils. Il ne décolérait pas. Pourquoi Lucy lui cachait-elle sa rencontre avec Blayne ? Ce dernier lui avait-il annoncé qu'il était de nouveau libre ? Regrettait-elle de ne plus l'être ? Avaient-ils convenu de se revoir quelque part ? A Londres ? Ils avaient largement eu le temps de décider d'un rendez-vous…

— C'est notre vol qu'on vient d'appeler, fit-il observer d'un ton neutre.

— Marcus…

Oh, elle avait tellement envie de se confier à lui ! De lui demander son aide…

— Oui ?

Elle se mordit la lèvre.

— Non, rien.

Comment lui avouer à quel point elle avait été stupide ? Comment lui expliquer dans quel trafic monstrueux elle avait failli être impliquée ? C'était impossible.

Et pourtant, elle avait tant besoin de son soutien…

— Comme c'est discourtois de ne pas m'avoir rappelé après tous les messages que je vous ai laissés…

Lucy voulut se lever, mais Andrew Walker lui posa la main sur l'épaule et la maintint sur son siège. Comment était-il entré dans le bureau ? se demanda-t-elle. Elle avait pourtant verrouillé la porte, comme elle le faisait systématiquement, à présent.

Comme s'il lisait dans ses pensées, il agita une clé sous son nez.

— Quel chance que Nick se soit souvenu qu'il avait gardé une clé du bureau. Il est de retour à Londres, à propos. A-t-il pris contact avec vous ?

Elle ne répondit pas. Mieux valait garder le silence. Sa voix risquait de trahir sa frayeur.

— Savez-vous qu'il déplore amèrement l'échec de votre mariage ? poursuivit Walker. Il faut dire qu'il est regrettable qu'il ne fasse plus partie de *Clé en main*.

Il la lâcha et tira une chaise, sur laquelle il s'assit à califourchon devant elle, lui bloquant le passage. De toute façon, il avait certainement refermé la porte à clé, se dit-elle en réprimant un frisson.

— A présent, discutons de *Clé en main*, Lucy.

— Ma société cessera bientôt toute activité, annonça-t-elle aussitôt.

Depuis son retour à Londres, elle n'avait eu qu'une idée en tête. Trouver une solution pour se sortir de la situation impossible dans laquelle elle se trouvait. N'en voyant pas de meilleure, elle avait décidé de liquider *Clé en main*.

— Je crains que nous ne puissions pas accepter cela. Voyez-vous, *Clé en main* répond parfaitement à nos besoins. Nick a commis une énorme erreur le jour où il est parti. Cependant, je pense que rien ne s'oppose à ce qu'il reprenne son poste au sein de la société. Après tout, son contrat n'a jamais été officiellement rompu, n'est-ce pas ?

— Il n'est pas question que je sois impliquée dans vos combines et je…

— Lucy, je crois que vous ne m'avez pas bien compris. Nous voulons *Clé en main* et nous l'aurons.

124

— Je refuse catégoriquement de m'associer avec vous et vous ne pouvez pas m'y obliger.

— Détrompez-vous. Nous savons être très persuasifs. Qu'éprouvez-vous pour votre mari, Lucy ? Vous ne voudriez pas qu'il soit victime d'un accident, je suppose ? Or si vous ne vous montrez pas raisonnable, ça pourrait très bien lui arriver.

— Ce ne sont que des menaces. Vous essayez de me faire peur…

— Où se trouve votre époux, en ce moment, Lucy ? Le savez-vous ?

Elle garda le silence. Andrew Walker poussa un petit soupir.

— Il se trouve à Leeds, n'est-ce pas ? Si vous l'appeliez ? Vous connaissez son numéro de portable, bien sûr ?

— Il a rendez-vous avec un client, dit-elle d'un ton crispé. Je ne veux pas le déranger.

— Il est peut-être parti voir un client à Leeds, mais malheureusement pour lui, il n'est pas arrivé. Il a eu un petit… accident.

Devant l'air atterré de Lucy, Walker ricana.

— Je vais me montrer généreux avec vous, Lucy. Je vais m'en aller, et vous laisser vingt-quatre heures pour réfléchir. Vous êtes une femme intelligente. Je suis certain que vous finirez par comprendre qu'il est de votre intérêt d'accepter de collaborer avec nous. A demain… Même heure, même endroit.

10.

Lucy était au bord de l'évanouissement. Etreinte par une angoisse insurmontable, elle avait toutes les peines du monde à respirer. Ses mains tremblaient tellement qu'elle dut s'y reprendre à plusieurs fois pour composer le numéro de Marcus.

Les sonneries se succédèrent sans résultat. Peut-être avait-il effectué un transfert d'appel, se dit-elle en s'efforçant de lutter contre la panique. Tout à coup, son cœur fit un bond dans sa poitrine.

— Qui est à l'appareil ? demanda une voix masculine.

Elle vérifia le numéro qu'elle venait d'appeler. Elle ne s'était pas trompée. C'était bien celui de Marcus.

— Je veux parler à Marcus…, mon mari.

— Je veux parler à Marcus…, mon mari, répéta la voix en l'imitant. Eh bien, il n'y a pas de Marcus ici.

— Mais… C'est son portable ! Comment… ?

A sa grande consternation, la ligne fut coupée. Elle rappela aussitôt. Sans succès. Toutes ses tentatives se soldèrent par des échecs.

Marcus s'était peut-être fait voler son portable… Ça ne signifiait pas forcément qu'il lui était arrivé quelque chose, se dit-elle pour tenter de se rassurer. Les vols de portables étaient très fréquents. Toutefois…

Fébrilement, elle appela la banque et demanda à parler

à l'assistant de Marcus pour savoir comment elle pouvait joindre ce dernier.

— Avez-vous essayé son portable ? demanda Jerome.

— Oui, mais c'est un inconnu qui a répondu. Jerome, je crois qu'on a volé son portable à Marcus, et je suis inquiète à son sujet.

— Je suis sûr qu'il y a une explication très simple, répliqua Jerome d'un ton apaisant. J'essaie de joindre le client avec qui Marcus a rendez-vous et je vous rappelle.

Cinq minutes s'écoulèrent avec une lenteur insupportable, puis cinq autres. Au bord de la crise de nerfs, Lucy fut incapable d'attendre plus longtemps.

Elle rappela Jerome sur sa ligne directe. Occupé. Etait-il en train d'essayer de la rappeler ? Elle raccrocha d'un geste brusque et se recroquevilla dans son fauteuil, rongée par l'angoisse. S'il était arrivé quelque chose à Marcus, elle ne se le pardonnerait jamais…

La sonnerie du téléphone la fit tressaillir. Tétanisée par la peur, elle fixa l'appareil pendant quelques secondes avant de décrocher.

— Lucy ?

C'était Jerome.

— C'est moi. Avez-vous eu Marcus ?

La main de Lucy se crispa sur le téléphone. Seigneur ! Pourquoi Jerome semblait-il si embarrassé, tout à coup ?

— Qu'y a-t-il ? Où est-il ? s'écria-t-elle.

— Il y a eu un petit incident, mais il va bien…

— Que voulez-vous dire ? Quel genre d'incident ? Où est-il ?

— Au General Hospital de Leeds.

— Quoi ? Pourquoi ? Que lui est-il arrivé ? J'y vais immédiatement…

127

— Lucy, calmez-vous. Marcus va bien. Il m'a chargé de vous dire qu'il serait de retour demain, comme prévu.

— Je veux lui parler ! Je veux le voir…

— Je crains que ce ne soit pas possible. Pas pour l'instant. Il est aux urgences… mais ne vous inquiétez pas, il n'a rien de grave, juste quelques bleus et des égratignures. Toutefois, il aurait sans doute pu être blessé beaucoup plus sérieusement si les voyous qui l'ont attaqué n'avaient pas été interrompus par l'arrivée d'une voiture de police. Les médecins veulent tout de même lui faire passer des examens, par précaution.

— Jerome, s'il vous plaît… Je veux savoir exactement ce qui s'est passé, exigea Lucy en s'efforçant de maîtriser le tremblement de sa voix.

— Marcus a été attaqué par un groupe de jeunes. De toute évidence, ils en avaient après son portable et son portefeuille… qu'ils lui ont volés, ainsi que sa montre. Et bien sûr, Marcus étant ce qu'il est, il ne leur a pas facilité la tâche. Heureusement, la police est arrivée avant que les choses ne dégénèrent… Marcus a été formel : vous n'avez aucune raison de vous inquiéter et il vous appellera dès que possible. Comme je vous l'ai dit, pour l'instant il est aux urgences.

— Je pars pour Leeds immédiatement.

— Non, Lucy, insista Jerome d'un ton ferme. Marcus se doutait que vous réagiriez ainsi, et il m'a chargé de vous convaincre que c'était inutile. Il sera de retour demain soir, comme prévu.

« Seigneur ! Faites que ce soit une illusion, pria-t-elle en raccrochant. Un horrible cauchemar qui n'a rien à voir avec la réalité… »

Elle s'affaissa sur son siège. Malheureusement, tout cela était bien réel. Marcus avait été agressé à cause d'elle.

Trop angoissée pour pleurer, elle resta prostrée sur son

siège, à attendre un appel de Marcus. Elle avait tellement besoin d'entendre sa voix...

Les secondes s'écoulèrent lentement, puis les minutes... une demi-heure... une heure... une heure et quart... Enfin le téléphone sonna.

— Marcus ?

— Oui, c'est moi.

Au son de sa voix, Lucy fut submergée par un soulagement si intense qu'elle se mit à trembler de tout son corps et qu'elle eut toutes les peines du monde à parler distinctement.

— Que s'est-il passé ? Est-ce que tu vas bien ? Je veux venir à Leeds.

— J'ai été agressé mais je vais bien. Il est inutile que tu viennes. Je serai rentré demain soir.

— Où es-tu ? A l'hôpital ?

— Je suis dans un taxi, en route pour aller voir mon client. L'hôpital m'a trouvé en parfait état de santé et à part quelques bleus, je n'ai absolument rien. Je t'assure que tu n'as aucune raison de t'inquiéter, Lucy. Ce sont des choses qui arrivent tous les jours, alors n'en faisons pas un drame, d'accord ?

Une note d'impatience était perceptible dans la voix de Marcus. Lucy s'efforça d'inspirer profondément, mais elle était si crispée qu'elle faillit s'étrangler.

— Ecoute, il faut que je te laisse, reprit-il. Je te rappellerai ce soir.

— Promets-moi que tu n'as vraiment rien de grave.

— Je te le promets.

Curieusement, quand Andrew Walker fit son apparition dans son bureau, Lucy ne fut pas surprise, comme la veille, mais submergée par une profonde lassitude.

Elle avait passé toute la nuit à se morfondre et à réfléchir, sans fermer l'œil une seule seconde.

— J'espère que vous avez bien réfléchi à ce que je vous ai dit hier, Lucy, déclara Walker d'une voix suave. Mais au cas où vous ne m'auriez pas pris au sérieux, je vous ai apporté quelques photos.

Il étala sur le bureau une série de clichés. Ceux-ci étaient un peu flous, comme s'ils avaient été pris dans l'urgence par un amateur. Cependant, ils étaient tout de même suffisamment nets pour la faire frémir d'horreur.

Marcus en train de se battre… Marcus gisant à terre et bourré de coups de pied par ses quatre agresseurs.

Sur une des photos, il était visiblement sur le point de recevoir un coup en plein visage ! constata-t-elle en réprimant un cri. Et sur une autre, la lame d'un couteau étincelait au soleil…

— Cette fois, M. Canning a eu de la chance, déclara Walker. La police est arrivée à temps, si bien qu'il ne souffre que de quelques égratignures. La prochaine fois, il risque fort de ne pas s'en tirer à si bon compte.

Avec une lenteur délibérée, il mit la main dans sa poche et en sortit le portable de Marcus. Lucy fut prise de tremblements.

— Voici la seule preuve que j'ai réclamée pour m'assurer que mes ordres avaient bien été exécutés : son portable. Mais la prochaine fois…

— Taisez-vous. Vous ne vous en tirerez pas comme ça. La police arrêtera les coupables et…

Andrew Walker ricana.

— Aucune chance ! Et de toute façon, même s'ils se faisaient coincer, ils n'oseraient pas me trahir. Ils auraient trop peur des représailles.

Lucy déglutit péniblement. Inutile de se voiler la face. Cet homme ne reculerait devant rien pour parvenir à ses fins. Il n'hésiterait pas à mettre ses menaces à exécution. Aucun doute là-dessus, le pire était à craindre.

Il fallait à tout prix faire quelque chose pour protéger Marcus. Or il n'y avait qu'une solution… Ses yeux se remplirent de larmes. Elle n'avait pas le choix. La sécurité de Marcus était plus importante pour elle que son propre bonheur.

— Le sort de Canning dépend de vous, Lucy, déclara Andrew Walker comme en écho à ses pensées. Si vous m'acceptez comme associé dans *Clé en main*, il n'aura plus rien à craindre.

Lucy parvint à hausser les épaules en feignant l'indifférence. Elle avait tourné et retourné le problème dans son esprit au cours de la nuit. Elle savait exactement quoi faire pour protéger Marcus. Malheureusement, cela impliquait de le perdre à jamais…

La gorge nouée, elle dut faire appel à toute sa volonté pour retenir ses larmes. Pas question de s'abandonner au désespoir pour l'instant.

— Si vous croyez pouvoir faire pression sur moi en vous en prenant à Marcus, vous vous trompez, déclara-t-elle d'un ton qu'elle espérait posé. Je n'ai pas envie qu'il lui arrive quoi que ce soit, bien sûr, mais pour être très franche, je regrette amèrement de l'avoir épousé. J'ai compris que ce mariage était une erreur dès l'instant où j'ai revu Nick.

Walker plissait le front, constata-t-elle, au bord de la panique. De toute évidence, il avait du mal à la croire. Eh bien, il fallait absolument le convaincre qu'elle disait vrai.

— Quand j'ai rencontré Nick à l'aéroport, je me suis rendu compte que je l'aimais encore, mentit-elle. Je l'ai avoué à Marcus et nous avons décidé de nous séparer.

— Vraiment ? Eh bien, c'est une surprise, déclara Andrew Walker, visiblement dubitatif. Une surprise qui enchantera Nick… si vous me dites la vérité.

— Bien sûr que oui. Pourquoi vous mentirais-je ?

*
**

— McVicar m'a téléphoné cet après-midi, déclara Marcus. Il paraît que tu lui as demandé quelle était la situation exacte de Blayne vis-à-vis de *Clé en main*, étant donné qu'il n'avait jamais été mis fin officiellement à son contrat.

Lucy renversa du café sur le sol de la cuisine. Le cœur battant à tout rompre, elle crispa les doigts sur sa tasse.

— Je voulais simplement savoir ce qu'il en était.

— Pourquoi ne m'as-tu pas posé la question ?

— Tu es mon mari, pas mon avocat.

Seigneur ! La vue du visage tuméfié de Marcus lui était insupportable ! Pourvu qu'elle ne s'effondre pas devant lui en lui révélant tout...

— Est-ce qu'une décision a été prise pour Noël ? demanda-t-il en changeant délibérément de sujet.

— J'en ai discuté avec ma mère hier matin. Il paraît que Beatrice souhaite que nous les passions tous ensemble.

— Pas dans l'horrible château qu'elle veut louer pour l'anniversaire de George, j'espère ?

Marcus constata avec inquiétude qu'au lieu de pouffer, comme elle l'aurait fait auparavant, Lucy se contentait d'un pâle sourire. Pas de doute, quelque chose la perturbait.

Avait-elle secrètement envie de passer Noël avec Blayne ? A cette pensée, Marcus éprouva une souffrance insupportable. Elle ne lui avait toujours rien dit de sa rencontre avec lui à l'aéroport. S'étaient-ils revus depuis ? Et si oui, combien de fois ? Et qu'avaient-ils fait ensemble ?

— Non, répondit Lucy d'un air contrit. En fait, maman voudrait que nous allions tous à Framlingdene.

Framlingdene, propriété désormais administrée par la caisse nationale des monuments historiques, appartenait autrefois à la famille paternelle de Lucy, qui avait conservé l'usufruit d'une partie du bâtiment.

— Y aura-t-il assez de place pour tout le monde ? demanda Marcus.

— Non. Je pense qu'il vaudrait mieux que nous restions à Londres. D'ordinaire, toute la famille se réunit chez la grand-tante Alice le lendemain de Noël, pour Boxing Day. Cette année nous pourrions également y dîner le soir de Noël. L'appartement est suffisamment grand pour accueillir tout le monde.

— Ça paraît en effet beaucoup plus raisonnable que de se déplacer jusque dans le Yorkshire. Lucy... Quelque chose ne va pas ?

De toute évidence, sa question l'étonnait, constata-t-il. Pas étonnant : il n'en revenait pas lui-même. Pourquoi lui posait-il une question aussi personnelle ?

— Non, tout va très bien, répondit Lucy d'un ton qu'elle espérait convaincant. Pourquoi ?

Elle serra les lèvres. S'il savait... Bientôt, elle lui annoncerait qu'elle voulait mettre fin à leur mariage. Mais avant, elle voulait passer encore un peu de temps avec lui. Fêter avec lui son anniversaire, puis Noël... Elle lui parlerait juste avant la nouvelle année, se promit-elle.

Devant la bijouterie, Lucy hésita. Ce soir ils dînaient au restaurant avec toute sa famille pour l'anniversaire de Marcus. Elle lui avait déjà acheté une cravate de soie et elle n'avait absolument pas les moyens de lui offrir une des luxueuses montres exposées dans la vitrine.

Toutefois... Un panneau signalait qu'ils vendaient également des montres d'occasion en parfait état.

Elle pouvait toujours se renseigner.

Une demi-heure plus tard, elle ressortait de la boutique avec une Rolex d'occasion qui lui avait coûté toutes ses économies.

C'était exactement le même modèle que celle qui avait été volée à Marcus. C'était une chance de pouvoir la lui offrir pour son anniversaire ! La garderait-il toujours ? Même après leur divorce ? Transpercée par une douleur fulgurante qui lui coupa le souffle, elle tituba.

Marcus rentra à la maison au moment où Lucy sortait de la douche. Quand il pénétra dans la chambre, elle était assise sur le lit en peignoir de bain.

— Qu'est-ce que c'est ? demanda-t-il quand elle lui tendit un paquet-cadeau.

— Ton cadeau d'anniversaire.

Il haussa les sourcils.

— Je croyais l'avoir déjà reçu ce matin.

— J'avais envie de t'en offrir un second.

Marcus s'assit à côté d'elle pour ouvrir le paquet. A quoi s'attendait-il ? A vrai dire, il n'en savait rien. En tout cas, pas à une montre, songea-t-il en découvrant la Rolex.

— Elle n'est pas neuve, malheureusement, se hâta de préciser Lucy. Mais c'est exactement la même que celle qu'on t'a volée.

En réalité, pensa Marcus, la montre qu'on lui avait volée était irremplaçable. Elle lui venait de son père. Mais il était inutile de blesser Lucy en le lui précisant, décida-t-il. Sans un mot, il reposa la montre et captura sa bouche dans un baiser ardent.

Marcus ne l'avait pas embrassée avec une telle ardeur depuis leur retour de Moustique, songea confudément Lucy. Mais sans doute était-ce parce qu'elle ne l'y avait pas encouragé. Puis toute pensée cohérente l'abandonna quand il la renversa sur le lit.

134

— Vous êtes en retard, que vous est-il arrivé ? demanda la mère de Marcus quand ils arrivèrent au restaurant de l'hôtel Carlton Towers.

A son grand dam, Lucy sentit ses joues s'empourprer. Dieu merci, personne ne semblait l'avoir remarqué…

— Marcus, tu as retrouvé ta montre ? s'exclama Beatrice.

— Non. Ma charmante épouse m'a offert celle-ci pour mon anniversaire.

A en juger par son sourire malicieux, Beatrice avait deviné la cause de leur retard, comprit Lucy, au comble de l'embarras.

— Je comprends pourquoi nous n'étions pas les derniers arrivés, pour une fois, lui glissa en effet Beatrice à l'oreille, une fois qu'elle fut assise. Je me disais bien qu'il devait y avoir une bonne raison pour que mon frère, d'ordinaire si ponctuel, soit pris en défaut…

Il était plus de minuit quand ils rentrèrent chez eux.

— Plus que trois semaines avant Noël, dit Lucy d'une voix ensommeillée.

— Oui. Ne penses-tu pas que le début de l'année serait une bonne période pour commencer à chercher notre maison de campagne ?

Le cœur de Lucy se serra. Au début de l'année, leur mariage serait terminé. Grâce à Nick et à Andrew Walker…

— Qu'est-ce qui ne va pas ? demanda Marcus d'un ton vif.

— Rien. Pourquoi cette question ?

— Oh, peut-être parce que tu es subitement devenue livide, répliqua-t-il calmement. Qu'est-ce qui te préoccupe, Lucy ?

— Rien, je t'assure. Je suis fatiguée, c'est tout.

— Au fait, j'ai décidé que les dettes de *Clé en main* devaient être réglées avant la fin de l'année. Je pense que nous devrions aller voir McVicar ensemble et…

— Non !

— Pourquoi pas ?

— Je te l'ai déjà dit. Je tiens à préserver l'indépendance de ma société.

Il ne dit pas un mot. C'était inutile : le regard noir qu'il dardait sur elle était suffisamment éloquent, songea Lucy avec tristesse.

Plus qu'une semaine et ce serait Noël. Toutes les boutiques de Knightsbridge et les grands magasins étaient parés de leurs plus beaux atours depuis longtemps. Lucy avait effectué tous ses achats, envoyé toutes ses cartes de vœux et enveloppé tous ses cadeaux.

Mme Crabtree avait pris des vacances prolongées afin de pouvoir passer plus de temps avec sa fille et ses petits-enfants.

En son absence, Lucy prenait grand plaisir à cuisiner. Cependant, la veille, Marcus avait tenu à renverser les rôles et à préparer le dîner.

Lucy soupira. Il ne faisait plus allusion à *Clé en main*, mais il régnait entre eux une tension palpable. Même si elle s'efforçait de profiter pleinement de chaque seconde passée avec lui.

Du moins, lui faisait-il toujours l'amour — chaque nuit — avec habileté et passion. Mais pas avec amour…

La sonnerie de la porte d'entrée retentit. Elle alla ouvrir et se figea en voyant Nick.

Elle tenta de refermer la porte, mais il la repoussa avec violence et pénétra dans le hall.

— Qu'est-ce qui te prend ? demanda-t-il d'un ton maussade. Je pensais que tu serais heureuse de me voir. Andrew m'a dit que ma visite te ferait plaisir. C'est lui qui m'a conseillé de venir te voir.

Andrew Walker avait envoyé Nick à Wendover Square ? Pourquoi devrait-elle s'en étonner ? se dit Lucy avec un soudain abattement.

— Nick, tu n'aurais pas dû venir ici, protesta-t-elle. Si Marcus te voit…

— Il n'est pas là, n'est-ce pas ?

— Non, il est à la banque, mais…

— Tu sais, Lucy, Andrew a raison. Notre divorce a été trop précipité. Nous aurions dû laisser une chance à notre mariage. Je reconnais que j'ai fait preuve d'égoïsme et d'indélicatesse…

Andrew Walker avait-il fait répéter ses répliques à Nick jusqu'à ce que celui-ci les sache sur le bout des doigts ? se demanda Lucy avec cynisme. En tout cas, les paroles de son ex-mari sonnaient faux et contrastaient étrangement avec son air arrogant.

— Je ne suis pas étonné que tu regrettes d'avoir épousé Canning. Je parie que quand tu le compares à moi, il ne fait pas le poids… surtout au lit.

Il eut un sourire suffisant.

— Le lit, c'est mon domaine. Tu te souviens ?

Non, justement. Elle n'avait gardé aucun souvenir marquant de leurs ébats, songea Lucy. Malheureusement, il n'était pas question de le lui préciser.

— Tu étais mon premier amant, commenta-t-elle sobrement.

— Et tu croyais naïvement que tous les hommes étaient aussi doués que moi, je suppose ? Pauvre petite Lucy… Comme tu as dû être déçue ! Mais il n'est pas trop tard pour rattraper le temps perdu.

Il jeta un coup d'œil vers l'escalier.

— Pourquoi ne pas commencer tout de suite ? Si je t'emmenais là-haut pour t'offrir ton cadeau de Noël ?

Lucy dut faire un effort surhumain pour masquer son dégoût. Pas question que Nick comprenne qu'elle aimait Marcus. Ce serait mettre ce dernier en danger.

— Pas ici, objecta-t-elle en s'efforçant de prendre un air plein de regret. Il vaudrait mieux que j'aille te voir…

— Pourquoi attendre, Lucy ? Je vois dans tes yeux à quel point tu me désires. Allez…

Il la saisit par les épaules et l'attira vers lui. L'odeur de son eau de toilette, beaucoup plus forte et entêtante que celle de Marcus, donna la nausée à Lucy.

— Nick… non ! J'étais sur le point de sortir… pour voir ma mère, mentit-elle.

Il la relâcha brusquement.

— Andrew m'a chargé de te demander pourquoi tu n'as pas encore quitté Canning.

— Ce n'est pas si simple, protesta-t-elle. Je ne peux pas m'en aller comme ça.

— Bien sûr…

Nick promena son regard autour de lui.

— Je suppose que tu comptes partir avec une bonne partie de ses millions. Je ne peux pas t'en blâmer.

— Oui. C'est… c'est exactement mon intention. Et explique à Andrew que je dois me montrer prudente. Marcus pourrait avoir des soupçons. En fait, il en a déjà. Il ne comprend pas pourquoi je ne veux plus de lui comme associé.

— Ecoute, Andrew commence à s'impatienter. Il m'a chargé de te dire que si tu ne te débarrassais pas de Marcus, il prendrait les dispositions nécessaires pour le faire à ta place.

138

Recroquevillée sur les marches, les bras étroitement serrés autour de ses genoux, Lucy n'était pas consciente de l'engourdissement de tout son corps. Combien de temps s'était-t-il écoulé depuis le départ de Nick ? Elle n'en avait aucune idée. Cependant, la nuit avait dû tomber. Sinon, pourquoi le hall serait-il plongé dans l'obscurité ?

Une multitude de pensées et d'images incohérentes tourbillonnaient dans son esprit. La première nuit qu'elle avait passée avec Marcus. L'arbre de Noël qu'ils devaient acheter ce week-end. La machine à espressos qu'il lui avait offerte. Le bonheur inouï qu'elle ressentait chaque matin en se réveillant dans ses bras.

Bientôt, tout cela serait terminé. Il le fallait.

Sinon…

11.

— Quoi !

— Tu as bien entendu, Marcus, répéta Lucy d'une voix tremblante. Je veux divorcer.

De toute évidence, il était abasourdi. Malgré la semi-pénombre qui régnait dans la chambre, la pâleur soudaine de son visage crispé par la colère était nettement perceptible.

— Nous ne sommes mariés que depuis un mois !

Jamais il n'aurait imaginé qu'une telle souffrance était possible, songea Marcus avec effarement.

— Je sais. J'ai compté chaque jour. Chaque heure. Et je ne veux pas… je ne peux pas… continuer à vivre ainsi. Je ne suis pas heureuse. Je vais déménager et nous pourrons entreprendre les démarches nécessaires.

— Il n'en est pas question ! Je t'avais prévenue que je m'engageais pour la vie et que j'attendais la même chose de ta part.

Marcus crispa la mâchoire. Il ne la laisserait pas partir ! Jamais. Elle était à lui et il l'aimait.

Il l'aimait ? Il aimait Lucy ?

C'était impossible. Il s'était juré de ne jamais tomber amoureux… Et pourtant, il était en train de se produire en lui un phénomène étrange.

Oui, il l'aimait !

La mort dans l'âme, Lucy s'efforça de prendre un ton désinvolte.

— Très bien, ne divorçons pas. Mais tu ne peux pas m'empêcher de te quitter. En ce qui me concerne, notre mariage est terminé.

Au prix d'un immense effort, Marcus réprima l'envie de casser quelque chose. C'était bien la première fois qu'il avait ce genre d'impulsion ! Sans doute était-ce parce qu'au fond de lui, quelque chose était en train de se briser. Son cœur ?

Depuis leur retour de Moustique il avait conscience que Lucy était perturbée, et il pensait savoir pourquoi. Mais il n'avait pas encore pris conscience de ses propres sentiments. Eh bien, aujourd'hui, c'était fait ! Comment laisserait-il Blayne lui prendre Lucy ?

Elle était tellement plus heureuse avec lui ! Bien sûr, elle n'en avait pas encore vraiment conscience. Mais un jour elle le remercierait d'avoir réagi comme il le faisait. Un jour elle comprendrait qu'ils étaient faits l'un pour l'autre. C'était une évidence.

— Ne t'imagine pas que je ne sais pas d'où vient le problème, Lucy. Parce que je le sais. Je suis parfaitement au courant de ce qui se passe derrière mon dos.

Le cœur de Lucy fit un bond dans sa poitrine. Marcus savait ? Non. C'était impossible.

— C'est Blayne, n'est-ce pas ?

Elle laissa échapper un petit cri étouffé.

— Je t'ai vue avec lui à l'aéroport, l'autre jour.

Marcus les avait vus ? Et il croyait…

— C'était une coïncidence ! répliqua-t-elle.

Que dire d'autre ? se demanda Lucy. Visiblement, Marcus ne savait rien des manœuvres d'Andrew Walker. De toute évidence, il croyait qu'elle était encore amoureuse de Nick. Et il n'était pas question de le détromper.

— Une coïncidence malheureuse… comme te le soufflerait ta raison, si seulement tu voulais bien l'écouter, rétorqua Marcus d'un ton amer. As-tu déjà oublié tout ce qu'il t'a fait subir ?

— Il a changé.

— Ne me dis pas que tu es assez naïve pour croire ça ! Et toi, Lucy ? N'as-tu pas changé ? Es-tu certaine de savoir ce que tu veux ? Après tout, quand tu es dans mes bras, c'est moi que tu veux.

— Non ! Je l'ai cru, mais ce n'est pas vrai.

« Si, c'est vrai. C'est toi que je veux. Maintenant et à jamais. Toi et seulement toi. Toi pour toujours, Marcus. Prétendre le contraire me rend malade. Je t'aime tellement. »

— Tu mens ! Et je vais te le prouver !

Marcus n'en croyait pas ses oreilles. Etait-ce bien lui qui venait de parler ? Etait-ce bien lui, cet homme à qui l'amour faisait perdre son sang-froid ?

Sans laisser à Lucy le temps de réagir, il l'attira contre lui et s'empara de sa bouche en un baiser autoritaire.

Déchirée entre le désir de s'abandonner à lui et la volonté de continuer à simuler l'indifférence, Lucy sentit les mains de Marcus tirer sur ses vêtements.

Elle entendit le tissu se déchirer alors qu'il arrachait un bouton. Elle sentit ses doigts se refermer sur la peau nue de ses bras.

— As-tu couché avec lui depuis notre mariage, Lucy ? Réponds-moi !

— Non.

Du moins sur ce point pouvait-elle répondre avec honnêteté, songea-t-elle, le cœur serré.

— Mais tu en as l'intention ? N'est-ce pas ?

Pourquoi éprouvait-il le besoin de se torturer ainsi ? se demanda Marcus avec perplexité.

Lucy dut faire un effort héroïque pour ne pas s'écrier

« Jamais ! Plus jamais ! Plus jamais avec aucun autre homme que toi, mon amour ! »

— Nick…

— Tais-toi. Je ne veux pas entendre son nom, coupa Marcus d'une voix rauque avant de s'emparer de nouveau de sa bouche avec hargne.

Lucy vibrait de tout son être. Pourquoi résister ? Elle pouvait bien s'accorder un dernier souvenir dans les bras de Marcus. Une dernière fois…

Marcus la poussait vers le lit tout en lui arrachant brutalement ce qui lui restait de vêtements…

— Tu me désires, Lucy. Et je vais te le prouver !

« Oui. Oh oui, Marcus, prouve-le-moi ! Même si j'en suis déjà convaincue ! »

— Non !

Le cri rauque de Marcus résonna dans la pièce.

Qu'était-il en train de faire ? Le front trempé de sueur, il s'efforça de surmonter sa fureur. Faisant appel à toute sa volonté, il effaça de son esprit l'image des corps enlacés de Lucy et de Blayne. Non, il ne céderait pas à la jalousie ni au désir de vengeance. Lucy ne méritait pas qu'il se montre aussi brutal avec elle.

— Marcus !

Le retenant avec l'énergie du désespoir, Lucy se plaqua contre lui.

Même si leur couple n'avait plus d'avenir, cet instant si précieux leur appartiendrait à jamais. Pendant quelques secondes d'éternité, plus rien ne pouvait les séparer…

Ce voyage qu'ils avaient commencé, ils allaient le mener à son terme.

Ensemble.

*
**

Marcus regardait Lucy se maquiller. Comme elle semblait mince et fragile... Elle avait des traits d'une finesse extra-ordinaire.

Le jour où elle lui avait annoncé son intention de divorcer, il lui avait arraché la promesse de rester avec lui jusqu'à la fin de l'année, sans faire part à quiconque de son désir de le quitter.

La veille, le jour de Noël, ils avaient déjeuné avec leurs deux familles. Lucy avait très peu parlé et à peine mangé. Il avait remarqué les regards furtifs que lui lançaient les autres femmes. De toute évidence, elles la trouvaient beaucoup trop éteinte pour une jeune mariée.

Les cadeaux de Noël qu'ils s'étaient achetés l'un à l'autre se trouvaient toujours sous le sapin. Il avait décrété qu'il n'avait aucune raison d'ouvrir les siens et Lucy s'était enfuie de la pièce, en larmes.

Il avait tellement envie de la garder auprès de lui ! De faire avec elle des projets d'avenir. De lui montrer à quel point ils pourraient être heureux si elle acceptait son amour et oubliait Blayne.

Il l'aimait tellement !

Il fronça les sourcils. L'aimait-il vraiment ? Après tout, s'il aimait Lucy d'un amour véritable, son bonheur serait plus important à ses yeux que le sien, non ?

S'il l'aimait vraiment, il la laisserait libre de choisir sa vie...

— Il faut y aller, Marcus. Alice n'aime pas qu'on arrive en retard au déjeuner de Boxing Day.

Lucy était vêtue d'une robe de velours vert d'eau, agrémentée de poignets en dentelle et d'un cardigan de cachemire grège, brodé de boutons de rose.

Marcus ne se lassait pas de la contempler. Elle était superbe... et sa fragilité manifeste était déchirante.

144

— Lucy ?

Elle leva vers lui un regard plein d'appréhension, constata-t-il, rongé par le remords.

Il prit une profonde inspiration. Sa décision était prise et il n'était pas question de reculer. Il allait donner à Lucy la plus belle preuve d'amour. Il allait lui rendre sa liberté malgré son désir de la garder auprès de lui.

— Tu as raison, déclara-t-il d'une voix qu'il espérait ferme. Poursuivre la comédie de notre mariage ne sert à rien. Dès le début de l'année prochaine, je demanderai à mon avocat d'engager une procédure de divorce…

Marcus était d'accord pour divorcer ?

Prise de nausée, Lucy sentit son estomac se nouer.

— Lucy, tu trembles.

— J'ai froid, répondit-elle à sa mère avec sincérité.

— Froid ? Pourtant il fait très bon dans cette pièce. Tu vas bien ?

— Oui, très bien.

« Je suis à l'agonie et je n'irai plus jamais bien. Marcus va me quitter… pour toujours. »

— Lucy !

Elle adressa un sourire contraint à Johnny, qui venait vers elle en plastronnant, une jeune fille ravissante au bras.

— Bonjour, Lucy, je te présente Tia. Tia, je te présente ma cousine. Tu veux du champagne ? demanda-t-il en brandissant la bouteille qu'il tenait à la main.

Lucy fut parcourue d'un frisson de dégoût. Elle se sentait si mal qu'elle ne pouvait même plus boire de café. Alors du champagne…

— As-tu appris qu'Andrew Walker était à la tête d'un réseau

145

spécialisé dans le trafic de travailleurs clandestins ? demanda soudain Johnny.

Sans attendre de réponse, il poursuivit.

— Apparemment, la police le surveillait depuis des mois. Tout le réseau a été démantelé. Ses membres étaient impliqués dans toutes sortes de crimes. Blanchiment d'argent, prostitution, extorsion de fonds. Je ne me doutais pas du tout que c'était un personnage aussi ignoble. C'est Dessie Arlington qui m'a mis au courant. Son père est avocat et d'après lui, il est très probable que Walker finisse ses jours en prison. Si j'avais su… Lucy ? Lucy !

Ce fut Marcus qui la rattrapa juste avant qu'elle touche le sol.

Lorsqu'elle revint à elle, allongée sur un canapé dans un des salons de la grand-tante Alice, Marcus était agenouillé à côté d'elle.

— Comment te sens-tu, Lucy ? Tu t'es évanouie.

— J'ai mal au cœur… Ne me laisse pas, s'il te plaît.

Une heure plus tard, elle était couchée dans une chambre d'amis, une pièce immense où régnait un froid glacial.

A son chevet, sa mère, sa belle-mère et Beatrice parlaient toutes en même temps avec excitation, chacune se vantant d'avoir deviné depuis un moment quel était le « problème » de Lucy.

Tétanisée entre les draps gelés, celle-ci se répétait avec incrédulité ce que venait de lui annoncer le médecin de sa grand-tante, venu en urgence de son cabinet situé au coin de la rue.

Un bébé. Elle allait avoir un bébé de Marcus. Dire qu'elle ne s'en était pas douté un seul instant…

— J'étais exactement dans le même état, disait sa mère.

146

Pour Lucy comme pour Piers. Alors vous pensez, j'ai tout de suite compris !

— Eh bien moi, j'en ai eu la certitude dès que je l'ai vue hier au déjeuner, affirma la mère de Marcus. Elle avait cette mine qui ne trompe pas.

Lucy ferma les yeux et laissa couler ses larmes. Elle se sentait si lasse, si déstabilisée… et ce que lui avait dit Johnny à propos d'Andrew Walker…

Andrew Walker !

Elle tenta de se redresser.

— Lucy, ma chérie, reste allongée.

— Où est Marcus ?

— Le docteur Holland a dit que tu devais te reposer et manger un peu plus.

— Une bonne soupe bien nourrissante, voilà ce qu'il lui faut.

— Ou du bouillon de poulet.

— Oh, oui. Nanny disait toujours que le bouillon de poulet était un remède universel.

Epuisée, Lucy ferma les yeux et se laissa gagner par le sommeil. Quand elle se réveilla, Marcus était assis à son chevet. Seul.

— Oh, Marcus…

Voilà qu'elle recommençait à pleurer ! C'était sans doute hormonal. Il tenait une de ses mains entre les siennes. C'était si réconfortant…

— Marcus, nous allons avoir un bébé.

— Je sais. Quel effet te fait cette nouvelle ?

— Je… Je suis très heureuse. Et toi ?

— Je suis comblé. Si tu savais comme je t'aime !

Le cœur de Lucy fit un bond dans sa poitrine. Avait-elle bien entendu ?

— Tu m'aimes ? demanda-t-elle d'une voix tremblante. Mais…

— Oui, je t'aime, Lucy. Même si dans mon aveuglement je ne l'ai compris que tout récemment.

— Oh, Marcus, moi aussi je t'aime ! Il faut que tu saches… Je n'ai jamais eu envie de divorcer.

Elle se mordit la lèvre.

— Je suis heureuse que nous soyons seuls. Quand je pense que je ne me suis jamais doutée que j'étais enceinte. Je croyais que si j'étais tout le temps au bord de la nausée, c'était…

— A cause d'Andrew Walker ?

— Tu es au courant ? Il faut que je t'explique pourquoi je ne t'en ai jamais parlé.

— Il n'y a pas de problème, Lucy, dit-il d'une voix douce. Je sais ce qui s'est passé. Du moins, je le devine. Je viens d'avoir une longue conversation avec ton cousin Johnny. Il m'a raconté que Walker lui avait demandé de vous mettre en relation parce qu'il voulait investir dans *Clé en main*.

— Crois-tu qu'il va rester longtemps en prison ?

— Très longtemps, d'après George, mon beau-frère. Il paraît que les autorités étaient au courant de ses activités depuis longtemps, mais qu'elles ont attendu d'avoir rassemblé assez d'informations pour pouvoir démanteler le réseau.

— George ? Le mari de ta sœur ? Qu'est-ce qu'il sait de cette histoire ? Je pensais qu'il était fonctionnaire.

— En effet. Au ministère de l'intérieur, précisa Marcus d'un ton pince-sans-rire.

Lucy ouvrit de grands yeux.

— Ah bon ? Oh, Marcus, j'ai eu si peur ! Andrew voulait utiliser *Clé en main* pour blanchir de l'argent et donner du travail aux immigrés clandestins qu'il faisait entrer dans le pays. Nick était de mèche avec lui…

Elle réprima un frisson.

148

— Pourquoi ne m'as-tu rien dit ? demanda Marcus d'une voix douce. Etait-ce parce que tu voulais protéger Blayne ?

Lucy secoua la tête.

— Je me moque de ce qui peut arriver à Nick. Je n'aurais jamais dû l'épouser. Si je l'ai fait, c'est parce que…

— Oui ?

— Je t'ai aimé dès notre première rencontre, Marcus. Mais je n'avais aucun espoir d'être aimée en retour. Et mon amour pour toi était si fort que j'avais peur de me trahir. J'ai pensé que si je me mariais, je serais bien obligée de me contrôler. Si j'ai épousé Nick c'est uniquement parce que je t'aimais… Marcus ? Tu pleures ?

— Oh, Lucy…

La serrant contre lui, il enfouit le visage dans ses cheveux.

— Lucy, pourquoi ne m'as-tu pas parlé de Walker ?

— J'avais trop peur pour toi.

— Oh, Lucy, Lucy, mon cher et tendre amour.

— Ton amour ? répéta-t-elle avec émerveillement.

— Oui, mon seul et unique amour.

149

Épilogue

Un an plus tard

— Je porte un toast à mon épouse, Lucy, femme d'affaires de l'année, la mère de mon fils… et l'amour de ma vie, ajouta Marcus dans un murmure que seule Lucy put entendre, tandis qu'autour d'eux fusaient des exclamations joyeuses.

— Sans toi, je n'aurais jamais eu le courage de monter une autre société, répliqua-t-elle tendrement.

— Allons, ne sois pas si modeste, Lucy. Tu es pleine de ressources. *Clé en main* « bis » en est la preuve.

— A force de fréquenter des mères de famille, je me suis vite rendu compte que l'organisation de fêtes pour enfants était un domaine dans lequel il existait de réels besoins. Les mères ont tout intérêt à partager leur savoir-faire, mais également l'infrastructure : tentes, vêtements, jeux, déguisements, etc. Sans oublier le partenariat avec les orphelinats de Ricardo, dont certains pensionnaires viennent se former chez nous pour devenir gardes d'enfants ou animateurs, par exemple.

— C'est bien ce que je disais. Tu es pleine de ressources, répéta Marcus.

— Peut-être, murmura-t-elle d'un ton malicieux et tendre à la fois, mais mon idée la plus géniale, c'est d'être tombée amoureuse de toi !

Chers lecteurs et lectrices,

Plusieurs d'entre vous nous ont signalé un problème d'impression sur le titre :
Le cadeau de la passion (Azur n°1253 de juin 2006).
En effet, la dernière page du roman a été intervertie avec celle d'un autre titre.

Nous sommes conscients de la gêne occasionnée et vous présentons toutes nos excuses, nous vous réaffirmons notre volonté constante de faire le maximum pour que nos livres soient la garantie d'un agréable moment de lecture.

Nous vous remercions pour votre fidélité.

Si vous souhaitez recevoir la page manquante, vous pouvez en faire la demande en écrivant à l'une des adresses suivantes :

Transcontinental Interweb
525 rue Louis Pasteur
boucherville, Québec
J4B8E7
ou
Les Entreprises harlequin Ltée.
498 rue Odile
Fabreville, Laval, Québec
H7R5X1

collection *Azur*

Chère lectrice,

Vous nous êtes fidèle depuis longtemps?
Vous venez de faire notre connaissance?

C'est pour votre plaisir que nous avons
imaginé un rendez-vous chaque mois
avec vos auteurs préférés, vos
AUTEURS VEDETTE dans les
collections Azur et Horizon.

Les AUTEURS VEDETTE vous
donneront rendez-vous pour de
nouveaux livres vedette.

Pour les reconnaître, cherchez
l'étoile... Elle vous guidera!

Éditions Harlequin

HARLEQUIN

LE FORUM DES LECTEURS ET LECTRICES

CHERS(ES) LECTEURS ET LECTRICES,

VOUS NOUS ETES FIDÈLES DEPUIS LONGTEMPS?

VOUS VENEZ DE FAIRE NOTRE CONNAISSANCE?

SI VOUS AVEZ DES COMMENTAIRES, DES CRITIQUES À
FORMULER, DES SUGGESTIONS À OFFRIR, N'HÉSITEZ
PAS… ÉCRIVEZ-NOUS À:
      LES ENTERPRISES HARLEQUIN LTÉE.
      498 RUE ODILE
      FABREVILLE, LAVAL, QUÉBEC.
      H7R 5X1

C'EST AVEC VOS PRÉCIEUX COMMENTAIRES QUE NOUS
ALLONS POUVOIR MIEUX VOUS SERVIR.

DE PLUS, SI VOUS DÉSIREZ RECEVOIR UNE OU
PLUSIEURS DE VOS SÉRIES HARLEQUIN PRÉFÉRÉE(S)
À VOTRE DOMICILE, NE TARDEZ PAS À CONTACTER LE
SERVICE D'ABONNEMENT; EN APPELANT AU
(514) 875-4444 (RÉGION DE MONTRÉAL) OU 1-800-667-4444
(EXTÉRIEUR DE MONTRÉAL) OU TÉLÉCOPIEUR
(514) 523-4444 OU COURRIER ELECTRONIQUE:
AQCOURRIER@ABONNEMENT.QC.CA OU EN ÉCRIVANT À:
      ABONNEMENT QUÉBEC
      525 RUE LOUIS-PASTEUR
      BOUCHERVILLE, QUÉBEC
      J4B 8E7

MERCI, À L'AVANCE, DE VOTRE COOPÉRATION.

BONNE LECTURE.

HARLEQUIN.

VOTRE PASSEPORT POUR LE MONDE DE L'AMOUR.

ROUGE PASSION

De fiévreuses histoires d'amour sensuelles!

De provocantes histoires d'amour passionnées et romantiques qu'on lit d'une seule traite. Aventureuses, parfois humoristiques, et sensuelles, elles mettent en vedette des hommes et des femmes d'aujourd'hui.

ROUGE PASSION...
trois nouveaux titres chaque mois.

<u>COLLECTION HORIZON</u>

Des histoires d'amour romantiques qui vous mènent au bout du monde!

Découvrez la passion et les vives émotions qu'apportent à la Collection Horizon des auteurs de renommée internationale!

Captivantes, voire irrésistibles, ces histoires d'amour vous iront assurément droit au coeur.

Surveillez nos trois nouveaux titres chaque mois!

GEN-H-R

HARLEQUIN

COLLECTION
ROUGE PASSION

• Des héroïnes émancipées.
• Des héros qui savent aimer.
• Des situations modernes et réalistes.
• Des histoires d'amour sensuelles et
provocantes.

LAISSEZ-VOUS TENTER
par 3 titres irrésistibles
chaque mois.

RP-1-R